beck'sche reihe

DAS JAHRTAUSEND

bsr

Die Serie „Das Jahrtausend“ der Frankfurter Allgemeinen Zeitung führt durch die Spiegelungen und Vorspiegelungen der Vergangenheit von zehn Jahrhunderten. Auf dieser Reise durch die Zeit folgt der Leser dem einzelnen Lebenslauf und der Kette der Ereignisse, er begegnet Kunst und Literatur, trifft auf Ängste und Hoffnungen vergangener Epochen und lernt den Alltag in Krieg und Frieden kennen. Wer zu erfahren wünscht, was jetzt ist, erhält die Antwort in dem, was einmal möglich war.

Michael Jeismann, geb. 1958, promovierte im Fach Geschichte an der Universität Bielefeld bei Reinhart Koselleck und ist seit 1993 Redakteur der Frankfurter Allgemeinen Zeitung. Zu seinen Veröffentlichungen zählen u. a.: Das Vaterland der Feinde. Studien zum nationalen Selbstverständnis und Feindbild in Deutschland und Frankreich 1792–1918, Stuttgart 1992, sowie der Sammelband Mahnmal Mitte. Eine Kontroverse, Köln 1999.

Das 19. Jahrhundert

Aufbruch in die Moderne

Herausgegeben von
Michael Jeismann

Verlag C. H. Beck

Mit 9 Abbildungen im Text

Die Deutsche Bibliothek – CIP-Einheitsaufnahme

Das 19. Jahrhundert : Aufbruch in die Moderne / hrsg. von Michael Jeismann. – Orig.-Ausg. – München : Beck, 2000
(Beck'sche Reihe ; 4119 : Das Jahrtausend)
ISBN 3 406 45619 7

Originalausgabe
ISBN 3 406 45619 7

Umschlagentwurf: +malsy, Bremen
Umschlagabbildung: Francis F. Palmer,
Der Expreßzug (1864), AKG Berlin

Satz: Kösel, Kempten
Druck und Bindung: C.H. Beck'sche Buchdruckerei, Nördlingen
Gedruckt auf säurefreiem, alterungsbeständigem Papier
(hergestellt aus chlorfrei gebleichtem Zellstoff)
Printed in Germany

Inhalt

Kleine Chronik

1803: Geistliche Güter und Herrschaften werden auf dem Reichsdeputationshauptschluß mediatisiert; Klopstock gestorben; Herder gestorben · *1804:* Kant gestorben; Ludwig van Beethoven komponiert die 3. Symphonie Es-Dur („Eroica"); Der „Code civil", das bürgerliche Gesetzbuch, wird im französischen Herrschaftsbereich eingeführt; Beginn des südslawischen Befreiungskriegs gegen die Türken · *1806:* Napoleon siegt bei Jena und Auerstedt gegen Rußland und Preußen; Ende des „Heiligen Römischen Reichs Deutscher Nation" · *1807:* Aufhebung der Erbuntertänigkeit der Bauern in Preußen · *1809:* Abstammungslehre von J. B. Antonine de Lamarck; Edgar Allan Poe geboren · *1810:* Germaine de Staël veröffentlicht „De l'Allemagne" · *1813:* E. M. Arndt: „Über Volkshaß" – Freiheitskrieg gegen Napoleon, Völkerschlacht bei Leipzig, Napoleon vernichtend geschlagen · *1814:* Erster Einsatz der Schnellpresse von Fr. Koenig (bei der „Times") · *1848:* Das „Kommunistische Manifest" von Marx und Engels; Februarrevolution in Paris, Märzrevolution in Deutschland; Paulskirche · *1865:* Bürgerkrieg in den Vereinigten Staaten beendet · *1867:* Die Vereinigten Staaten kaufen Alaska von Rußland · *1869:* Sozialdemokratische Arbeiterpartei gegründet · *1870/71:* Krieg zwischen Deutschland und Frankreich; Gründung des Deutschen Reiches · *1873:* Michail Bakunin: „Staat und Anarchie" · *1876:* Konrad Adenauer geboren; A. Graham Bell erfindet das Telefon · *1891:* Hochspannungstransformator (1 Mio. Volt) · *1896:* Röntgen entdeckt X-Strahlen · *1899:* Haager Friedenskonferenz

Alain Corbin

Gebannt im Übergang

Immer wieder wurden die Hoffnungen auf einen Neuanfang konterkariert, und nach der Frage der Herkunft blieb die Arbeit am Negativen

Mit dem Anbruch des neunzehnten Jahrhunderts – und zum ersten Mal in der abendländischen Geschichte – begriff sich die Menschheit in einem säkularen Rahmen. Es ist das Jahrhundert, das von Anfang an ein waches Bewußtsein seiner Identität hatte und das entschlossen war, seinen Eintrag im Buch der Geschichte eigenhändig vorzunehmen. Geboren aus dem radikalen Bruch der Französischen Revolution, sah es sich selbst als Übergangszeit, als Passage zwischen einer Vergangenheit, die noch der Entdeckung harrte, und einer Zukunft, die man bestenfalls ahnen konnte.

Auf diese Weise entstand ein neues Verhältnis zur Zeit. Seit dem Ende des achtzehnten Jahrhunderts hatte sich die erdgeschichtliche Dauer auf spektakuläre Weise verlängert. Während die Gelehrten das Alter der Erde noch Mitte des 18. Jahrhunderts auf mehrere tausend Jahre schätzten, rechnete Giraud-Soulavie einige Jahrzehnte später (ebenso wie die schottischen Geologen) mit einer erdchronologischen Einheit von Millionen Jahren und vermutete die Existenz von aufeinanderfolgenden Zyklen der Erosion. Zum ersten Mal begann sich die Einbildungskraft mit dem Zustand des Erdplaneten vor dem Auftreten des Menschen zu beschäftigen. Die neue Schätzung der geologischen Zeit zwang dazu, über die Erschaffung des Menschen und der menschlichen „Rassen“ neu nachzudenken, denn die Einheit des Menschengeschlechts erschien nun problematisch. Es war das neunzehnte Jahrhundert, das diese rätselhafte Tiefe des Menschengeschlechts entdeckte und mit dem Namen der „Vorgeschichte“ benannte.

Die Französische Revolution hinterließ dem nachfolgenden Jahrhundert eine neue politische und soziale Zeit, welche die Geschichtsbetrachtung schließlich von dem Schema der Vorhersehung befreien sollte. In den Augen der Menschen des neunzehnten Jahrhunderts wurde diese Revolution zum Ausgangspunkt für das Nachdenken über das historische Werden und den Horizont der Geschichte. Die Revolution erschien als ein Kompendium der Zeiten, als eine Zäsur, mit deren Hilfe man die Mechanismen der Vergangenheit und der Zukunft studieren konnte. Sie eröffnete eine Zeit, die reich an neuen Perspektiven war, und erzwang eine Umdeutung der Vergangenheit, um die Handlungssubjekte zu identifizieren, welche die Zukunft gestalten sollten. Dies begründete die wachsenden Ambitionen der Geschichtswissenschaft, die eine führende Rolle im Wissenskanon einnahm. Alle Wissenschaften definierten nun ihren Gegenstand historisch: Die Frage der Herkunft wurde ihnen zur regelrechten Obsession. Diese Epoche, besessen von der abgründigen Suche in den Tiefen der Vorzeit, war das Jahrhundert der Geschichte: gefragt wurde jetzt nach der Entstehung der Menschheit und der Religionen, der Gesellschaft und der Nationen. Das große Problem, das diese Lektüre der Welt aufwarf, war die Evolution. Mit Eifer ging man daran, die Stadien, Perioden und Epochen der Geschichte zu definieren und gleichzeitig auch die Umbruchzeiten herauszuarbeiten: den organischen Phasen voller Schwung und Harmonie wurden dabei jene kritischen Perioden entgegengesetzt, in denen die „notwendige Arbeit des Negativen“ (Hegel) zum Ausdruck kam.

Ein Jahrhundert totaler Veränderung in den Vorstellungen im allgemeinen und in den Geschichtsphilosophien im besonderen: die Jetztzeit hatte Bedeutung nur noch als Funktion einer Vergangenheit, welche die Gegenwart begründete, und im Blick auf die Gesamtperspektive, in der sie stand. Der wichtigste Imperativ der Gegenwart bestand darin, das Jahrhundert in eine konzeptualisierte, vorhersehbare Geschichte zu integrieren. Daher wurde die Identität des Jahrhunderts selbst zum Gegenstand der politischen Debatte. Dieses neunzehnte Jahrhundert, das sich als seine eigene Erfindung, als einzigartig und neu verstehen wollte, schien also paradoxerweise dazu verdammt, in einer negativen Gegenwart zu leben, die nur als Übergangszeit oder als vergängliches „entre-deux" fungierte. Ein Jahrhundert der Welträtsel: auf der Suche nach sich selbst und unter der Last unerfüllter Versprechen wurde es zum Opfer der Unentschlossenheit.

Die Veränderung der Zeitvorstellung ging aber noch weiter. Die Beschleunigung, die den Rhythmus dieses Jahrhunderts prägte, das langsame Erlernen von Zeitgenauigkeit und Pünktlichkeit, die Normierung einer einheitlichen Weltzeit (in der letzten Dekade), die Erforschung der Bewegung durch ihre fotografische Zerlegung, die Speicherung von Stimmen und Geräuschen durch neue Aufnahmetechniken – all dies mußte die alltäglichen Verhaltensweisen und Gebräuche tiefgreifend verändern. Am Anfang des Jahrhunderts war man noch ungeübt im Umgang mit Minuten oder gar Sekunden. In den ländlichen Gegenden Frankreichs wurde die kurzfristige Zeit weiterhin im Rhythmus der Gebete gemessen. Erst gegen Ende des Jahrhunderts sollte sich die Taschenuhr verbreiten. Sportler und Ärzte verfügten jetzt über Präzisions- und Stoppuhren, und bei der exakten Aufzeichnung von Höchstleistungen wurde der Gebrauch von Minuten und Sekunden schließlich zur Gewohnheit. Noch um 1800 vollzog sich der Reiseverkehr im Rhythmus des Pferdes. Am Ende des Jahrhunderts erreichten die

Prototypen bestimmter Automobile bereits eine Geschwindigkeit von 200 Kilometer in der Stunde. All dies sollte die Wahrnehmung des Raumes grundlegend modifizieren. Die Praxis der Eisenbahnreise etwa veränderte die Mechanik des Blicks und gewöhnte die Menschen an das laterale Sehen. Im Laufe des 19. Jahrhunderts hat sich die Arithmetik von Tagen und Stunden immer stärker durchgesetzt – ebenso wie der Gebrauch von Terminkalendern. In gewissem Sinne weisen diese Entwicklungen bereits in unsere eigene Gegenwart, die von dem Problem der Vorhersage besessen ist.

Der Schatten Gottes

Zu Beginn des Jahrhunderts war die Erde zur bloßen Wohnstätte des Menschen geworden. Nur Restzonen waren noch unbekannt. Es gab keinen Kontinent mehr, den man noch hätte entdecken können. Also brach die geographische Neugier zu neuen Horizonten auf und entwarf neue Figuren des Unbekannten. Die „terra incognita" fand sich nicht mehr an der Peripherie, sondern im Zentrum. Das Unbekannte reduzierte sich auf die weißen Flecken der Karten, auf das geheimnisvolle Landesinnere einiger Kontinente, das der Inventarisierung durch die Pioniere der „weißen Rasse" noch harrte. Die Erforschung der inneren Gebiete Afrikas sollte das ganze Jahrhundert andauern – von Réné Caillés Reise nach Timbuktu im Jahre 1828 bis zu Expeditionen von Livingstone und Stanley in Zentralafrika. Auch der Welterfolg, den Jules Vernes mit seinen „Voyages extraordinaires" feiern konnte, beruhte auf dem Prestige dieser unbekannten Gebiete und ihrer Naturkräfte. Man hat dieses systematische Projekt der Erforschung, Beobachtung, Messung und Kartierung als Entdeckung des Planeten bezeichnet. Die Erfassung der Welt in einem Netz der Information und Kolonisation mußte ihre Dimensionen reduzieren und die Träume der Entdecker in allzu enge Bahnen lenken; gleichzeitig sollten Weltausstellungen und anthropologische Museen den Sinn des Reisens verändern und die Formen der Entdeckungsfahrt erneuern.

Die beherrschende Figur des Jahrhunderts war das Oxymoron: die Menschen dieser Zeit faszinierte das Aufeinandertreffen von Widersprüchlichem. Immer wieder wurden die Hoffnungen des Neuanfangs durch Enttäuschungen konterkariert. Im Rhythmus der Mißerfolge wuchs die Furcht vor dem Verlust der Energie, der Lebenskraft oder der Fruchtbarkeit. Und im Zentrum des lauthals verkündeten Fortschrittsglaubens trieb das Gespenst der Dekadenz sein Unwesen. Hinter der Maske der Zivilisation zeigte sich das Gesicht der Barbarei, hinter urbanen Prachtfassaden die Elendsviertel und das Tier im Menschen. Es ist sinnvoll, die widersprüchliche Identität der Epoche noch näher zu betrachten. Ganz zu Beginn des Jahrhunderts waren die sogenannten „Ideologen" noch sicher, daß die wichtigsten Prinzipien der Aufklärungsphilosophie nun verwirklicht werden könnten. Die Propheten des neunzehnten Jahrhunderts gaben sich überzeugt von der historischen Mission ihrer Zeit. Das Gefühl war verbreitet, in einer vielversprechenden Epoche zu leben, die von entscheidender Bedeutung für das Schicksal der Menschheit sein würde. Für die Fortschrittsgläubigen war die Gegenwart bereits der Anfang der Zukunft; es schien ihnen, als habe das Schwungrad, das der Geschichte Einheit und Richtung verlieh, endlich seine höchste Geschwindigkeit erreicht. Victor Hugo beispielsweise gab keine chronologische, sondern eine ethische Definition des neunzehnten Jahrhunderts. Die Gewißheit von der Perfektibilität des Geistes und der Institutionen führte zu einer positiven, vorgefertigten Lektüre des laufenden Jahrhunderts. Das Denken gefiel sich im Entwurf einer kumulativen Zeitlichkeit. Das Jahrhundert inflationierte die Vorstellung einer progressiven Erweiterung der Perspektiven. Das Wissen und der Reichtum erschienen als unendlich akkumulierbar. Die Menschheit konnte nur in einer Richtung voranschreiten: vom Mangel zum Überfluß, von der Unwissenheit zur Wissenschaft, von der Barbarei zur Zivilisation.

Doch gleichzeitig zeigt die Analyse der Texte, daß die Zeitgenossen sich dieses Jahrhundert ständig anders wünschten, als es war, und die tatsächliche Entwicklung beklagten. Zum Beispiel Benjamin Constant: kaum zwanzig Jahre nachdem er die Versprechungen der Zukunft gefeiert hatte, katalogisierte er die Krankheiten der Zeit: die Ungewißheit, die Kraftlosigkeit, das ständige Bedürfnis nach Analyse, die Hintergedanken bei allen Gefühlen. Das Jahrhundert wurde also durch die Konfrontation von entgegengesetzten Positionen und Thesen bestimmt, die sich keineswegs ausschlossen, sondern vielmehr aufeinander angewiesen waren: Akkumulation und Verlust, Freiheit und Gleichheit, Ordnung und Fortschritt, „Widerstand“ und „Bewegung“, Künstler und Bourgeois ...

Der heutige Leser, der sich in das neunzehnte Jahrhundert vertieft, stolpert umso leichter über diese Widersprüche, als er kaum die Komplexität der Verflechtungen übersieht, in die diese Epoche verstrickt ist. Er sieht die Gegner der Todesstrafe, entsetzt über die Erinnerungen des „Terreur“, der jakobinischen Schreckenszeit, für jene revolutionäre Gewalt eintreten, die schließlich in die bekannten Massaker einmünden wird. Der Glaube an die Zivilisation, der friedliche Traum von der Harmonie gingen einher mit einem ständigen Wunsch nach Herrschaft, wie die Untaten des Kolonialismus bewiesen. Dieses Jahrhundert, das die Gleichheit und Brüderlichkeit zu Grundwerten erhob, sprach mit größter Selbstverständlichkeit von der natürlichen Hierarchie der

„Rassen", von Theorien der Eugenik oder den konstitutionellen Unterschieden zwischen den Geschlechtern.

Universalistische Aussagen und Menschheits-Appelle kamen oft von den überzeugtesten Vertretern des Nationalismus. Auf das Eintreten für Solidarität folgte die Warnung vor allzu sorgloser Wohltätigkeit. Das Vertrauen in die Zukunft der Wissenschaft war manchmal – etwa bei Ernest Renan – mit einer pessimistischen Haltung verbunden. Vor allem die französischen Freidenker entwarfen eine ganze Liturgie und waren von dem Wunsch beseelt, eine neue Grenzziehung zwischen dem Heiligen und dem Profanen zu bewerkstelligen. Es ist für einen Leser unseres Jahrhunderts schwer, in dieser Allianz aus Wahnsinn und Vernunft noch eine Gleichzeitigkeit zu erblicken. Dies erklärt all jene Verdammungsurteile, die das Jahrhundert zu einer Mißgeburt erklärten. Deren Wurzel sahen einige Zeitgenossen im Königsmord von 1793, andere in den Umbrüchen der Religion, in jenem Auseinanderbrechen von Welt und Jenseits, das die Epoche kennzeichnete. „Kein großes Jahrhundert, das nicht eine große Frage gestellt hätte", schrieb Victor Hugo. „Das neunzehnte Jahrhundert hat mehrere gestellt, doch vor allem hat es die Frage aller Fragen aufgeworfen: Gott. In der Französischen Revolution wurde diese Frage zum ersten Mal in aller Freiheit und gleichsam wie auf einem Konzil des Menschengeschlechts debattiert."

Das neunzehnte Jahrhundert, schreibt die Historikerin Gisèle Séginger, erhob „das Fragen selbst zur spirituellen Lebensform des modernen Menschen". Das Ende der Theologie, also die Vorstellung, daß alle religiösen Glaubensvorstellungen vergänglich waren, konnte nicht verhindern, daß die Gottesfrage fortdauerte – als ein reines Fragezeichen. Dies führte zu jener Entzauberung, die bereits Musset beklagte, zeitigte aber gleichzeitig eine Spiritualität in der Schwebe, die sich „weniger durch den Glauben definierte als durch die Konfrontation mit der Ungewißheit". Der Unglauben konnte jetzt in die Suche nach neuen spirituellen Ideen jenseits aller Religionen einmünden: „Der Schatten Gottes überlebte seinen angekündigten Tod."

Die Spuren werden schnell verwischt

Diese Rückholung der Frage ins Subjekt führte nicht nur zu besonderer Empfindsamkeit für das religiöse Gefühl, sondern ging auch einher mit anderen Umbrüchen in der Ordnung der Sensibilitäten. „Die Revolution hat den Menschen auf sich selbst zurückgeworfen, auf seine Geschichtlichkeit und gleichzeitig auf die verwirrenden Abgründe seiner Natur", schreibt Gisèle Séginger weiter. Das beginnende neunzehnte Jahrhundert erlebte nicht nur die Erfindung des Subjektes, die Neubestimmung der alten Dualität von Körper und Seele und die Entstehung der Psychiatrie. Es sah auch eine Entzweiung des Selbst, die im Gegenzug den Wunsch nach Versöhnung und Harmonisierung der intimen Seelengründe wecken mußte: bereits die Zeitgenossen sprachen von einer „Krankheit des Jahrhunderts" (mal du siècle). Maine de Biran und vor allem Amiel spielten in diesem Sinne noch einmal die Formen des tragischen Dualismus von Körper und Seele durch: Kontemplation und Aktion, Einsamkeit und Geselligkeit, Intelligenz und Soziabilität. Im Rückgriff auf die Temperamentenlehre beklagte man jetzt das Aufkommen von Kräften der Nervosität, und die Verschlechterung des Blutes wurde bedauert. Die entschiedensten Anhänger des Fortschritts waren gleichzeitig besorgt über die „entnervenden" Einflüsse der Zivilisation.

Wie auch immer: das „mal du siècle" überzeugte die Zeitgenossen, daß ihr Jahrhundert eine Epoche verfeinerter Sensibilität war und sich in Riesenschritten von den Zeiten der

Barbarei, der Massaker und Grausamkeiten entfernte. Während in Frankreich die Debatte über die Todesstrafe immer heftiger wurde, beglückwünschten sich die Eliten für die Zurückdrängung des Spektakels der öffentlichen Hinrichtungen. Im Jahre 1832 verschwand die Guillotine aus dem Zentrum von Paris; die Brandmarkung mit glühenden Eisen wurde abgeschafft. Man hörte auf, Vater- oder Muttermördern die Hände abzuhacken. Auch das Schauspiel der in Ketten herumgeführten Zuchthäusler, das in Frankreich immer wieder zu sehen war, verschwand im Jahre 1836. Zumindest Westeuropa kannte – bis auf wenige Ausnahmen – nicht mehr das Phänomen jener Massaker, die am hellichten Tage, also in aller Öffentlichkeit und inmitten einer gutgelaunten Menge, ausgeführt wurden – zwischen 1789 und 1793 war das in Frankreich an der Tagesordnung gewesen. Derartige Schreckensszenen wurden nun ersetzt durch kollektive Hinrichtungen, die zumeist nachts stattfanden, oder durch Gruppentötungen im Anschluß an Straßenkämpfe. Man gab sich Mühe, alle Spuren rasch zu beseitigen, um der Absenkung der Toleranzschwelle Rechnung zu tragen. Seit der Mitte des Jahrhunderts wurden auch chirurgische Operationen durch die Techniken der Anästhesie humaner gestaltet. Dank wirksamer Betäubungsmittel veränderte sich die Einstellung zum Schmerz grundlegend. Ursprünglich mußte der Patient festgebunden oder durch mehrere Personen festgehalten werden, wenn der Chirurg ihm Gliedmaßen amputierte – ein Meister seines Fachs wie Dupuytren schaffte dieses blutige Werk in ein oder zwei Minuten. Am Ende des Jahrhunderts ist der chirurgische Praktiker ein souveräner Meister der Zeit geworden. Er ist nicht mehr auf die Mithilfe seiner Assistenten angewiesen, die früher wie regelrechte Folterknechte zu Werke gingen. Die technische Virtuosität wurde durch Praktiken ersetzt, die umsichtiger und weniger blutig waren.

Gleichzeitig wurde man auch sensibler für die Leiden der Tiere und erließ entsprechende Gesetze. So entstand in Frankreich um die Mitte des Jahrhunderts ein Gesetz, das im öffentlichen Raum jede Grausamkeit gegen ein Tier unter Strafe stellte. In der Folge beflügelte das Gefühl dieser tiermenschlichen Solidarität auch die Bewegung gegen die Vivisektionen, während sich gleichzeitig Tierschutzvereine und die Wettbewerbe der Kleintierzüchter verbreiteten.

Die biologische Angst, die zu Beginn des Jahrhunderts noch diffuse Züge trug, konzentrierte sich in der Folge auf drei Gefahrenherde der Volksgesundheit: Alkoholismus, Tuberkulose und Syphilis. Die bahnbrechenden Forschungen von Pasteur, die eine lange Vorgeschichte haben, veränderten seit 1878 die Wahrnehmung solcher Bedrohungen. Die Entdeckung der Bakterien nahm der alten Furcht vor Seuchen ihren Stachel; sie begründete die Hoffnung, Infektionskrankheiten irgendwann einmal besiegen zu können, weckte aber auch neue Ängste vor Ansteckung. Gleichzeitig verbesserte sich die Hygiene im Privatleben, man entwickelte Programme der Sozialhygiene und der Biopolitik, was durch das Prestige der Ärzte, die an der medizinischen Front immer neue Siege errangen, begünstigt wurde. Es kam zu einer ganzen Serie von Vorsichtsmaßnahmen, welche die alten Gesundheitsnormen grundlegend veränderten und teilweise bereits unseren heutigen Standards vorausgreifen. Die Volksschullehrer überprüften etwa die Unterwäsche der Kinder und verpflichteten sie, sich die Hände zu waschen. Auch bei Tische wollte man sich die Ratschläge Pasteurs zu Herzen nehmen: Obst wurde vor dem Verzehr gewaschen, und der Griff nach dem Glas oder auf das Gedeck des Nachbarn wurde von nun an mißbilligt. Am Ende des Jahrhunderts gingen bestimmte Ärzte aus dem Umkreis der „Société de prophylaxie sanitaire et morale“ sogar soweit, vor der Gefährlichkeit des Küssens zu warnen.

Aber auch in diesem Bereich zeigte sich die Ambivalenz des Jahrhunderts. Während die Entwicklung der Medizin im Anschluß an Pasteur zu größten Hoffnungen Anlaß gab, wuchsen die Ängste vor Degeneration und „Entartung". Im Bereich der Geschlechtskrankheiten waren die Verwüstungen erheblich. Im ersten Drittel des Jahrhunderts verbreitete sich die Überzeugung, daß die Syphilis nicht nur eine ansteckende Krankheit mit bestimmten klassischen Anzeichen (Schanker, Roséole, Ausschlag) sei, sondern sich auch „erblich" – und ohne das Wissen der Individuen – über mehrere Generationen fortpflanzen könne. Es sollte bis zur Mitte des zwanzigsten Jahrhunderts dauern, bis das Schreckgespenst der erblichen Syphilis verschwand. Die Literatur des „Fin de siècle" spiegelte das Anwachsen solcher Ängste. So verbreitete sich eine neue Form des Tragischen, verborgen unter dem Deckmantel eines zügellosen Hedonismus, den man zum Hauptmerkmal dieses Zeitalters erklärt hat. In Frankreich sprach man von der „Belle Epoque".

Es ist letztlich unmöglich, die Signatur dieses Jahrhunderts auf eindeutige Gegensätze zu reduzieren. Man sollte sich davor hüten, seine Äußerungen oder Handlungen in das Korsett unserer heutigen Begriffe zu zwingen. Schon Balzac sah sein Jahrhundert als „unförmigen Bazar", als eine Ansammlung disparater Objekte, als Harlekin-Kleid, oder als Stapel von Mumien, und Musset erklärte laut und deutlich: „Unser Geschmack ist eklektizistisch." Ohne Zweifel sind das wesentliche Aussagen, um das neunzehnte Jahrhundert vom heutigen Standpunkt aus zu erfassen. Die Revolutionserfahrung hatte den Glauben an die Stabilität von Ordnungen erschüttert; sie hatte ein Gefühl des Ephemeren geschaffen, den Begriff des provisorischen Gleichgewichts und vor allem ein klares Bewußtsein für die Zerstreuung jener Elemente, aus denen die Gesellschaft zusammengesetzt ist. Da-

William Turner, die „Fighting Teneraire“, das stolze Segelschiff aus Nelsons Flotte, wird ausgemustert und von einem Dampfkahn in den Hafen geschleppt.

her die Notwendigkeit einer Synopse, aber mit klaren Trennungen. Denn das Gefühl der Zerbrechlichkeit und der Zerstreuung war mit der Überzeugung verbunden, daß ein anarchisches Nebeneinander unähnlicher Elemente eine Bedrohung darstelle. Wie bereits Michel Foucault gezeigt hat, begegnen wir in der ersten Hälfte des Jahrhunderts einer Reihe von Prozeduren, die zwischen den Körpern Distanz schaffen sollten. Im Krankenhaus, in der Kaserne oder im Internat verbreitete sich das Einzelbett. Auch im Herzen der Städte entstehen neue Distanzen, welche die Angehörigen der verschiedenen sozialen Klassen immer mehr voneinander entfernen sollten. In den bürgerlichen Stadthäusern etwa werden die Wohnungen der Dienstboten nun in die letzte Etage verbannt.

Die Gewißheit, Zeuge einer Geburt zu sein, die Unterwerfung unter den Zauber des Zukünftigen, die Verführung durch utopische Versprechen und die Träume vom totalen Umbruch, das Gefühl, in der Erwartung einer neuen Zeit zu leben – all dies ersparte den Zeitgenossen nicht die Tücken einer unendlichen Nostalgie. Es befreite sie nicht von Verlustängsten, von der Faszination der Ursprünge oder vom Glauben an die Rückkehr des Goldenen Zeitalters. Zweifellos hat man diese Obsession des Verlustes, die den Wunsch nach Rekapitulation und „Wiederholung" zeitigte, bislang nicht ausreichend beachtet. Aber das neunzehnte Jahrhundert war in der Tat die Epoche des Eklektizismus. Die Idee des Fortschritts mündete fast immer in Melangen aus Hoffnung und Sorge, aus Enthusiasmus und Abschiedsgesang. Radikale Ambivalenz bestimmte nicht nur das Selbstverständnis der Menschen, sondern auch die Institutionen. Man suchte sein Heil in einer Alchimie der Kräfte, um die Gefahren von Exzeß und Abenteuer zu bannen. Und es ist eben dieses Reich des Zusammengesetzten, das uns auch auf Denkmälern der Epoche, in den Ansichten bürgerlicher Interieurs begegnet: das Mosaik, das abgesonderte Objekt, die Juxtaposition dominierten dieses Jahrhundert aus Gips, das gerne in Zitaten schwelgte und lustvoll sich mit fremden Federn schmückte.

(Aus dem Französischen von Matthias Grässlin)

Christian Pfister

Jahrhundertwetter

Am 11. April 1815 explodierte der Vulkan Tambora östlich von Java. 150 Kubikkilometer Asche wurden hochgeschleudert. Sie verdunkelten die Sonne bis nach Indien. Zehntausende von Menschen erlitten den Tod. Ein Teil der Aschenwolke wurde in der Stratosphäre von Höhenwinden verteilt. In den folgenden zwei Jahren reflektierte dieser Ascheschleier einen Teil des Sonnenlichts. Der Sommer 1816 war im nordöstlichen Nordamerika und in Kanada der kälteste in den letzten dreihundert Jahren. In Europa drang arktische Kaltluft von Island bis zu den Alpen vor, stürzte als eisiger Fallwind durchs Rhonetal hinunter und breitete sich bis nach Tunesien aus.

Als Ausgleich stießen im westlichen Rußland warme Luftmassen weit nach Norden vor. In St. Petersburg regnete es keinen Tropfen, in Indien fiel der Monsun aus, das Mississippigebiet verschmachtete vor Hitze. In Mitteleuropa ging ein großer Teil des Jahresniederschlags in der kritischen Periode von Mai bis September nieder, die Heuernte verschimmelte, das Getreide wuchs aus. Die halbreifen Trauben wurden Anfang November gelesen. Am meisten litt das Alpengebiet, wo es bis in die Täler hinunter schneite. Im folgenden Frühjahr stiegen die Getreidepreise bis zum Hungerpegel hoch. Der Tod hielt reichlichere Ernte, und es wurden weniger Menschen geboren. Im Juli stieg der Bodensee auf seinen bisherigen Höchststand. Kalte Frühjahrsperioden, Sommer und Herbste drückten der ersten Hälfte des Jahrhunderts ihren Stempel auf. Ein letzter Rückfall der „Kleinen Eiszeit“ Anfang der 1850er Jahre löste in Mitteleuropa Mißernten und eine Auswanderungswelle nach

Nordamerika aus. Besonders hoch war im südlichen Mitteleuropa die Belastung durch Überschwemmungen. Kein Wunder, daß die entstehende Industriegesellschaft die wild gewordenen Flüsse durch Dämme und Korrektionen zu zähmen versuchte.

Jürgen Kaube

Im Diesseits der Romantik

Das Zeitalter der Liebesheirat:
Jane Austens praktische Vernunft

Die romantische Liebe ist eine der folgenreichsten Errungenschaften des neunzehnten Jahrhunderts. Seit dem achtzehnten zerfiel in Europa eine Sozialordnung, die auf Familien und Schichten gründete. Nun aber wurde die Ehe immer deutlicher aus ihrer Anlehnung an andere soziale Sachverhalte gelöst. Die Vorstellung, daß sich in einer Familiengründung vor allem politische, ständische und wirtschaftliche Belange geltend machen, tritt allmählich zurück. Die Familie selbst dient nicht mehr vorrangig dem Zusammenhang der Generationen, sondern setzt eine Zäsur im Leben der Einzelnen.

Damit ändert sich die Ökonomie der Gefühle. Liebe und Ehe werden als einander zugehörig empfunden, und zwar als Abfolge: Die Liebe gehe der Ehe voraus. Die zumutungsreiche Neuartigkeit dieser Norm ist heute kaum mehr zu fassen. Die zuvor praktizierte Trennung eines hochkultivierten Vokabulars der Galanterie und Leidenschaft von den Erfordernissen der Eheschließung geriet als Doppelmoral in Verruf. Daß Besitz die Erfahrungsgrundlage von Zuneigung ist, wird durch die Gewißheit ersetzt, daß erst die Zuneigung die Liebenden befähigt, einander anzugehören. Nährte sich das ältere bürgerliche Trauerspiel noch vom Konflikt derer, die heiraten sollten, ohne lieben zu können, so erfolgt nun die Umkehr: Es soll geliebt werden, um im vollen Sinne eine Ehe zu schließen. Und irgendwann, zuerst vermutlich durch den Rechtsgelehrten Johann

Caspar Bluntschli, wird dann auch juristisch die Liebesheirat postuliert.

Als erste intellektuelle Bewegung hat die europäische Romantik diesen Umbruch begrifflich und literarisch verarbeitet. Sie interpretiert die Ablösung der Liebe aus vorgeordneten sozialen Erwartungen als Individualität, ihre Fähigkeit, sich selbst genug zu sein, als Unendlichkeit des Gefühls. Die Liebenden sind einander eine doppelt-ganze, einzigartige Welt. In dieser wechselseitig bestätigten Welt verhält sich die Liebe frei gegenüber jeglichem Objekt, denn ihr Inhalt ist zuletzt das Lieben selbst. „Ich genoß nicht bloß, sondern ich fühlte und genoß auch den Genuß", heißt es in Friedrich Schlegels „Lucinde", und etwas später bei Jean Paul „Alle Liebe liebt nur Liebe, sie ist ihr einziger Gegenstand." Schönheit und Tugend werden durch die Liebe garantiert, nicht umgekehrt. „Müssen wir denn schön sein?", fragte bereits Lessings Minna. „Muß sie denn gut sein?" werden sich die Helden Stendhals oder Balzacs gar nicht mehr fragen.

Was die Liebe über den leidenschaftlichen Augenblick hinausträgt, ist daher nicht ein sozial gefestigtes Ideal, sondern die unerschöpfbare Individualität des anderen. Die Frage „Warum diese und keine andere?" kann darum nicht mehr durch Angabe von Eigenschaften, sondern nur durch das Erzählen einer Geschichte, eines Romans beantwortet werden. Die wahrgenommenen Eigenschaften entspringen „Kristallisationen" der Einbildungskraft am Objekt. In Stendhals „De l'amour" von 1822 heißt es dazu „Von dem Augenblick an, von dem er liebt, sieht der besonnenste Mensch keinen Gegenstand so wie er ist." Die romantische Liebe schafft sich ihre eigene Bestätigung im momenthaft verklärten Gegenüber.

Es ist diese Welt das einzige Thema der Romane Jane Austens. Alle enden mit einer Heirat, alles dreht sich in ihnen um das Problem, daß ihr die Liebe vorhergehen soll und wie sie dies in Gesellschaft tun kann. In Gesellschaft – denn anders als für viele Romantiker sind hier Freiheit und Unendlichkeit der Liebe kein individuell gefühlter Befund, sondern ein soziales Problem. Die Romantik stellte sich den Liebenden nämlich nie als einen Einsamen vor. Ihre Logik der „Kristallisation" verbindet geradezu Distanz und Genuß, Reflexion und Intensität. Das Gegenüber wird zum wenn auch einzigartigen Anlaß zur Gefühlsentwicklung. Doch mit einem Anlaß kann man nicht leben. Was also wird aus dem romantischen Subjekt, wenn es seine Ansprüche im Alltag unterbringen muß? Bereits in ihrem ersten Roman „Kloster Northanger" verbindet Austen diese Frage mit einer Ironisierung der aus passionierter Lektüre gezogenen Liebeserwartung. Catherine Morland bezieht ihre Kristallisationen aus der „gothic novel", macht deshalb in der Wirklichkeit so gut wie alles falsch und wird vom Richtigen nur deshalb geheiratet, weil es diesem genügt, daß sie eine Schwäche für ihn hat. „Ich gebe zu", so die Autorin, „daß dies in einem Liebesroman eine ungewöhnliche und der Würde der Heldin äußerst abträgliche Motivation ist. Aber wenn sie im alltäglichen Leben genauso ungewöhnlich sein sollte, dann kann ich mir wenigstens etwas auf meine blühende Phantasie zugute halten." Literarische Romantik und gelebte Romantik fallen im Roman selbst auseinander. Der Einbildungskraft wird zugebilligt, sich in Liebesdingen durchaus Wirklichkeiten zu schaffen. Aber es sind eben nur zufällig diejenigen, die sie sich selbst einbildet.

Von all dem kennen die Romane Jane Austens kaum ein Vorzeichen, und ihr Leben verlief unbeteiligt davon. In einem Jahrhundert, das die Vorstellung von exemplarischer, gar repräsentativer Lebensführung zerrüttet hat und deshalb die vergebliche Heldenliteratur von Carlyles „On hero worship" bis zu Kantorowicz' „Friedrich II." in Gang setzte, führte sie ein überaus normales Dasein. Fast jede Biographie versucht, das Diktum ihres Bruders, dieses Leben sei ereignislos (arm) gewesen, außer Kraft zu setzen, und keiner ist es gelungen. Jane Austen wurde am 16. 12. 1775 in Steventon/Hampshire geboren. Ihr Vater war ein Landpfarrer jener Art, die der Bildung näher stand als dem Glauben. Mit zwölf begann die Tochter mit dem Schreiben, schrieb Parodien auf die Schauergeschichten und sentimentalen Erzählungen – „wir fielen auf dem Sofa abwechselnd in Ohnmacht" – der damaligen Mode. Sie führt ein Leben im Umkreis ihrer Familie, beschäftigt sich nach Art der Zeit, mit Besuchen, Bällen, Konversation, der Beaufsichtigung anverwandter Kinder und kurzen Reisen. Es gibt wenige Versuche der Verlobung, eine Heiratszusage, die sie über Nacht sogleich zurücknimmt. Daneben schreibt sie kontinuierlich und tritt 1811 mit „Sense and Sensibility" hervor – genauer: läßt es anonym erscheinen. Danach werden „Pride and Prejudice" sowie „Mansfield Park" veröffentlicht. 1816 erscheint „Emma", das die mittlerweile bekannte Autorin dem Prinzregenten widmen darf und das von Walter Scott freundlich besprochen wird. In literarische Kreise tritt sie gleichwohl nicht ein. Schließlich vollendet sie noch „Persuasion" und bereitet die Publikation ihres ersten, zunächst zurückgewiesenen Manuskripts „Northanger Abbey" vor. Im Juli 1817, am 18., stirbt sie, vermutlich an der Addison'schen Krankheit.

Es ist eine Welt, der die Angemessenheit sozialer Statuspositionen an die zeitgenössische Gefühls- und Ideenwelt verlorengegangen ist. Bewohnt wird sie von Menschen, die nach den Maßstäben des Landadels leben wollen, ohne Land zu besitzen und von solchen, die es zwar tun, für die der Besitz aber keine anderen Handlungszwänge mehr mit sich führt als ökonomische. „Alle scheinen nur von altem Adel." Daß die „Klassenfrage" auf dem Land keine Rolle spielt, erlaubt es, der Tatsache Rechnung zu tragen, daß die sogenannte bürgerliche Welt nicht unter Beibehaltung der Schichtungsordnung einfach eine andere Schicht an die beherrschende Position gebracht hat, sondern daß die Ordnung solcher Positionen selbst verändert worden ist. Entscheidend dafür ist die Ökonomie. Sie, die nur unterschiedliche Grade an Vermögen kennt und zwischen allen Graden nicht nur Übergänge, sondern auch Erbgänge, Besitzerwechsel, eröffnet der Möglichkeit gegenüber der Wirklichkeit den Vorrang. Der Unterschied zwischen reicheren und ärmeren Verwandten, um den es zumeist geht, ersetzt die alte Schichtungsordnung nicht, weil auch die Reichen in ihrem Reichtum vor allem ein Vermögen sehen, das an Gefühlszwecke gewendet werden sollte.

Um diese Veralltäglichung der romantischen Liebe zu beschreiben, hat Jane Austen aus ihren Romanen fast jede andere historische Größe ferngehalten. Politik und Recht, Religion und Arbeit sind der Landgeselligkeit im englischen Kleinadel ganz fremde Mächte. Auch Natur und Tod bieten ihr bestenfalls Gesprächsthemen am Rande, ihr Erleben bestimmen sie nicht. Es wird stattdessen ganz von der Ausstellung der eigenen Eitelkeiten, dem Karrierestreben und der gegenseitigen Beobachtung in Beschlag genommen. Für die Liebesfähigen entsteht deshalb die Frage, wie es ihnen in einer solchen ebenso erfahrungsarmen wie gesprächigen Welt gelingen kann, sich nicht über sich selbst zu täuschen.

Dies, die Vermeidung der Selbsttäuschung, ist das Postulat, das Jane Austen der Romantik entgegenhält. In „Stolz und Vorurteil“ müssen die Liebenden lernen, daß nicht die Liebe, sondern der Hochmut, daß also nicht ihre Schwäche, sondern ihre Stärke sie anfällig für den Selbstbetrug macht. In „Emma“, bemerkt die zur Selbstdarstellung unfähige Heldin, daß die Bosheit der Welt nicht in Gestalt erotischer Verfolgung an die Liebe herantritt, sondern durch jene Korruption der Gefühle, wie sie sich aus Bewunderung, Abneigung und Ungewißheit ergeben kann. Es empfindet sich die Heldin so weit über allen anderen stehend, daß sie sogar die Liebe verkennt, die sie selbst bereits gefaßt hat. In „Sinn und Sinnlichkeit" wird der Nachweis geführt, daß Romantiker Leute sind, die mehr Gefühle und Phantasien haben als ihr Glück benötigt. Deshalb investieren sie ihren Gefühlsüberschuß wie Neureiche in alle möglichen Gelegenheiten – die Ökonomie ist bei Jane Austen der einzige Sachgehalt diesseits der Liebe –, treiben die Preise am Heiratsmarkt und fallieren.

Jede dieser Varianten macht die Frage dringlich, ob dem Gefühl selbst die Kriterien dafür zu entnehmen sind, daß es sich nicht täuscht, ob sich also die Liebe an sich selbst zu festigen vermag. Diese Sorge wird vom Gang der Bildungsromane entkräftet. Nicht durch die Unendlichkeit des Gefühls, sondern durch seine Fähigkeit, sich durchzuhalten, wird es wirklich. Stets müssen die Heldinnen daher in ihrem Leben dieselbe Liebe zweimal bejahen, um das Glück in ihr zu finden. Ob man überhaupt zweimal lieben könne, ist das Thema von „Sinn und Sinnlichkeit". Daß man es für die gültige Liebe müsse, ist eine Voraussetzung Jane Austens. Die romantische Liebesidee kannte das „Einmal für ewig" und das „Immer wieder aufs Neue". Jane Austens Maxime war die Bewährung des romantischen Impulses durch Beantwortung der Frage, ob er seinen Aufschub überdauere. Von Anne Eliott, der Heldin in „Überredung", heißt es „Man hatte ihr in der Jugend Lebensklugheit aufgezwungen; was romantische Liebe bedeutet, begriff sie erst, als sie älter wurde – die natürliche Entwicklung eines unnatürlichen Anfanges." Im Jahrhundert der Entgegensetzung von Verstand und Gefühl dachte Jane Austen vom Verstand nicht gering genug, um ihn in Gegensatz zur Liebe zu bringen.

Auch ihre Romane scheinen diesseits der Schwelle der politischen Konflikte und des Überschwangs der Einbildungskraft zu verharren. Walter Scott meinte in seiner Rezension von „Emma“ ihre Einzigartigkeit in der Beschränkung der Autorin auf die „middling classes“ zu erkennen. Ja, am ausführlichsten kämen bei ihr sogar Personen unterhalb des Standes wohlhabender Landedelleute zu Wort. Sie selbst hielt ihre Romane für die Schilderung der menschlichen Natur in den „midland counties“. Welchen Sinn aber konnte es haben, einen solchen Stoff zu wählen?

Der Romantiker ist jemand, der mehr inneres Vermögen besitzt als er benötigt und sich deshalb fragt, wofür er es alles ausgeben könnte: für alte Urnen, Wälder oder Fichtes Philosophie.

In Jane Austens Romanen erscheint insofern eine praktische Vernunft, wie sie nur einen kurzen historischen Augenblick lang möglich war. Denn es gibt Leben und Lebenswerke, deren Verlauf vom Zögern vor einem Zeitenübergang bestimmt scheint. Im Rückblick ist es, als hätten sie sich, an eine Epochenschwelle herantretend, gescheut, Zeugen dessen zu werden, was jenseits dieser Schwelle ihnen und der Welt, aus der sie kamen, bevorstand. Der letzte Schritt in die Zeitgenossenschaft, so kann man dann sagen, blieb ihnen erspart. Im Sinne einer solchen unwillkürlichen Reserve gegenüber dem, was kommen sollte, hat man für Theodor Fontane bemerkt, sein Todesdatum im vorletzten Jahr des neunzehnten Jahrhunderts lasse ihn für uns „gerade noch Klassiker“ sein. Von Jane Austen, der Fontane in so vielen Stücken verwandten, gilt entsprechendes. Gerade noch nicht Romantikerin – so könnte die Überschrift zu ihrem Werk lauten.

Annelore Rieke-Müller

Bürger und Löwenbraut

Zoo und Zirkus: Publikum zwischen Anspruch und Neigung

Zoo und Zirkus waren Innovationen in der städtischen Kultur des neunzehnten Jahrhunderts. Ihre Geschichte sagt viel über das ambivalente Verhältnis der Zeitgenossen zu bürgerlich definierter Kultur, zu Natur und Vergnügungen.

Der moderne Zirkus bot die alten Komödiantenkünste: Sprechtheater und Musik, Akrobatik und Artistik, Ballett, Pantomime und Gesang, ergänzt durch Kunstreiterei und schließlich auch durch Tierschauen und Dressuren. Diese Künste waren zuvor von angesehenen Spezialisten gezeigt worden. Das Pferd sei das dem Menschen am nächsten stehende Tier, meinte der Naturforscher Buffon, und Kunstreiter waren an den Höfen Europas hoch geschätzte Lehrmeister. Exotische Tiere wurden seit dem Ende des achtzehnten Jahrhunderts in Wandermenagerien erläutert und teils auch in Dressuren vorgeführt. Lebende Tiere im vertrauten Umgang mit dem Menschen erwiesen sich zu Beginn des Jahrhunderts als besonders schauattraktiv, in einer Zeit, die Bewegung hochschätzte. Gefeierte Dompteure wie Henri Martin und Van Amburg zeigten ihre auf Beobachtungen der Verhaltensweise ihrer Tiere beruhenden „weichen" Dressuren vor Publikum aus allen Schichten der Bevölkerung.

Auf der anderen Seite blies den Schaustellern der Wind der bürgerlich definierten Kultur ins Gesicht. Deren Träger wollten sich nicht nur im Habitus von den „Vagabunden" unterscheiden. Sie bestimmten auch die Inhalte und Formen der Künste neu. Diese Abgrenzung hatte auch eine antiaristokratische Pointe: Ob Kunstreiterei, Ballett oder Seiltanz, Akrobaten beherrschten die Kunst, in jeder Situation Haltung zu bewahren. Zur Einübung dieser Attitüde ließ sich der französische König Karl X. von einer Pariser Komödiantentruppe im Tanz auf dem Schlaffseil unterrichten. Das Bürgertum interpretierte solche Körperbeherrschung als unnatürlich, entsprechende Übungen blieben aus seinem Kulturkanon ausgeschlossen. Dieser umfaßte stattdessen das ernste Theaterstück, in dem sich das Bürgertum selbst finden sollte. Die Bodenakrobatik fand ihren bürgerlichen Widerpart in der national begründeten Turnbewegung. Gesang und Instrumentalmusik wurden in Vereinen, städtischen Opernhäusern und Konzerthallen praktiziert.

In diese Neudefinition lassen sich auch die Zoogründungen einordnen. „Wir wollen den Menschen die Tiere nahebringen", formulierte der Herausgeber der Zeitschrift „Der Zoologische Garten", Carl Bruch, 1864. Angehörige des Bildungs- und des Wirtschaftsbürgertums waren unzufrieden mit den Wandermenagerien und deren Tierdressuren. Die Zoos sollten ebenfalls lebende Tiere zeigen, jedoch nicht in vom Menschen geleiteter Bewegung. Die Zoogründer bauten ihren Tieren deshalb Gärten und Häuser, in denen sie „wie in ihrer Heimat" leben sollten. Das Wissen der Kunstreiter und Dompteure vom Umgang mit dem Tier hatte hier seine Kulturbedeutung weitgehend eingebüßt. Zoos sollten die Augen öffnen für Naturgesetze und für die Moralität in der Natur. In den Zoos sollte Naturwissenschaft für jedermann erlebbar werden, deren modernste Wissenschaftszweige sich zur selben Zeit in die Labors der Universitäten und Fabriken zurückzogen.

Solche mit nationalidentifikatorischen und belehrenden Inhalten aufgefüllte Kultur war aber nicht jedermanns Sache. Schausteller und Kulturinstitutionen kämpften daher um dasselbe Publikum. So wußte sich das Hamburger Stadt-

Berlin, Zoologischer Garten, um 1890

theater nicht anders zu helfen, als von 1835 an fast jährlich – meist vergeblich – beim Senat das Verbot ihm „nachtheilig scheinender halbtheatralischer Productionen" zu verlangen. Das war vor allem auf die Zirkusse gemünzt. Manche Städte bestimmten deren Spielzeit so, daß sie nicht mit ihrem Theater konkurrieren konnten. Renz, Hinné, Busch, Sarrasani, Wollschläger – um nur einige der bekanntesten zu nennen – lebten von der Faszination des Schaugewerbes, von den alten Techniken des Vergnügens. Mit großem kommerziellem Erfolg zeigten sie das ganze Spektrum des Komödiantentums, nun technisch weiterentwickelt, dramaturgisch gestaltet zu theaterähnlichen „Pantomimen" und ergänzt um große Tierschauen sowie um Tierdressuren. Nationalem Gedankengut seiner Besucher kam Renz entgegen, indem er Pantomimen mit dem Titel „Deutsche Turner" und „Die Nibelungen" aufführen ließ. 1891 gab es pünktlich zum Erwerb Helgolands durch das Deutsche Reich das

Stück „Auf Helgoland“. Kunstreiter beeindruckten Bürger, die das Pferd als Sporttier und Prestigeobjekt entdeckt hatten. Der Umgang des Dompteurs mit dem Raubtier zeigte dem Publikum Harmonie und Ordnung in der Natur zugleich, eine Kombination, die die Menschen der industriellen Gesellschaft suchten. In großen Zelten und in den festen Zirkusbauten von Renz und Busch trafen sich die verschiedensten Bevölkerungsgruppen, nur getrennt durch die Zuschauerränge.

Dem Konkurrenzdruck konnten sich auch die Zoos der Gründerzeit nicht lange entgegenstemmen, zumal sie selbst das Kind eines Bürgertums waren, das aufs Geld schaute. Aktionäre und Abonnenten wollten in „ihrem“ Zoo ebenfalls Vergnügungen finden. Die Zoos übernahmen daher einige Elemente des Unterhaltungsgewerbes. Mancher Tierpfleger wurde zum Dompteur. Der Leipziger Zoobesitzer Ernst Pinkert überlegte, eine junge Frau als Dompteuse sei besonders attraktiv. Er fand eine Tierbegeisterte, die bereit war, das Wagnis einzugehen, und er soll seinen Raubtierpfleger angewiesen haben: „Fischer, mach eine Löwenbraut aus ihr, von der die Welt sprechen soll.“ Und Claire Heliot wurde eine erfolgreiche Löwendompteuse im Leipziger Zoo und im Zirkus.

Durch diese Entwicklung gelangten die Zoos aber ihrerseits in den Geruch des Entertainments. Schon allein der Umgang mit Wildtieren schien die kritische Grenze zwischen tierischer Natur und menschlicher Kultur zu stören. Außerdem war es den Zoos nicht gelungen, Eingang in die Welt der akademischen Disziplinen zu finden. Tierverhalten, der publikumsattraktivste Aspekt der Zoologie, gehörte noch nicht zum entsprechenden wissenschaftlichen Fach.

Aber die Grenzziehung zwischen kulturell akzeptierter Unterhaltung und Schaugewerbe erwies sich im alltäglichen Kulturbetrieb als löchrig, weil kommerzielle Schaustellungen auf Zeitströmungen und auf Sehnsüchte der Menschen antworteten. So verwundert es nicht, daß mit Carl Hagenbeck seit dem Ende des Jahrhunderts ein Außenseiter Furore machte. Er brachte als einer der Ersten Zoo und Tierdressur zusammen. Hagenbeck verstand es auch, in seinem Tierpark die Schaulust der Menschen mit ihrer Suche nach Harmonie mit Tieren und Landschaft, nach der vertrauten Exotik der Natur zu verbinden.

Michael Jeismann

Jüngste Tage
Träume

Zwischen Tag- und Nachtseite sich wälzend hat das neunzehnte Jahrhundert große und böse Träume hinterlassen. Es war das Jahrhundert des Rausches und der Nüchternheit zugleich: zu Beginn erschienen Thomas de Quinceys „Memoiren eines Opiumessers" und begründeten eine Literatur der „künstlichen Paradiese" (Baudelaire), ganz am Ende, 1899, kommt Aspirin in den Handel – die große Migräne aber, das Leiden an der eigenen Zeit, blieb. Freuds „Traumdeutung", die 1900 veröffentlicht wurde, kam in gewisser Hinsicht zu spät, zu spät jedenfalls für dieses Jahrhundert der Wachträume. Während der wirtschaftliche Ehrgeiz des Einzelnen noch durchaus mäßig sein konnte, und die Figur des Rentiers, der in Muße und ohne weiteres Gewinnstreben von dem lebt, was er einmal erwirtschaftet hat, ein allgemeiner Typus war, gingen die kulturellen Ambitionen in unbestimmte Höhen. In technischer Hinsicht dagegen war das Jahrhundert bei allen Phantastereien außerordentlich konkret und auf klare Problemlösungen fixiert und vererbte den Nachfahren nicht bloß Ideen unterschiedlichster Güte. Nein, wenn man diesem Jahrhundert noch einmal Gerechtigkeit widerfahren lassen möchte, dann muß man einräumen, daß es selbst an dem Erbe des vorangegangenen Säkulums auch schwer zu tragen hatte.

Aber was heißt hier schwer – leicht, sehr leicht war das Zeitalter der Aufklärung gewesen, so leicht, daß es am Ende zu schweben begonnen hatte. Wortwörtlich, denn am 21. November 1783 fand der erste bemannte Flug in einem Heißluftballon statt. Der Pionier der Lüfte hieß Jean-

François Pilâtre de Rozier, und er benutzte einen Ballon der Brüder Montgolfier. Diesen war es einige Monate zuvor gelungen, einen mit heißer Luft gefüllten Ballon zum Fliegen zu bringen. Ob das Motiv nun dem glühenden Patriotismus der Brüder entsprang, die darüber enttäuscht waren, daß es der spanisch-französischen Armee nicht gelungen war, den britischen Felsen Gibraltar einzunehmen, oder ob es mehr die Neugier an den wissenschaftlich-experimentellen Diskussionen in den gelehrten Zeitschriften war, sei dahingestellt, denn wahrscheinlich war es doch wohl beides zusammen. Sie hatten damit das Mittel entdeckt, einen uralten Menschheitstraum zu verwirklichen. Das Fliegen galt bis dahin als Privileg der Feen, der Götter und Dämonen, und die Luft war das Medium der Transzendenz. Das darauffolgende Jahrhundert, das Gott abschaffte, flog in vielerlei Hinsicht in und auf die Transzendenz, begeistert von den Ewigkeiten der Denkmalssteine und den Luftschlössern der Zukunft. Die Frauen übrigens sahen im Ballon auch ein Hilfsmittel zur Emanzipation, die erste Luftschifferin hieß Wilhelmine Reichard und kam aus Braunschweig. Den Vortritt hatte man 1783 freilich erst einmal anderen gelassen – einem Schaf, einem Hahn und einer Ente: Alle zusammen erhoben sich samt Ballon vor den Augen des Königs in die Höhe und flogen acht Minuten lang über Versailles. Eine staunende Menge sah dann, wie der Ballon in einem Wald niederging. Das Schaf wurde anschließend vorgeführt und bis an das Ende seiner Tage verpflegt. Der Ballonfahrt selbst sollte es nicht so gut ergehen. Zwar hielt Goethe den Eindruck von den ersten „Luftschiffern" in bewegten Worten fest – „immer geglaubt und immer unglaublich" – aber das Ballonfahren war schon in der Zeit der Großen Revolution eine Art Schaustellerei geworden mit Höhen-Rekordversuchen tödlichen Ausgangs und diversen Katastrophen.

So also sah nun dieser Menschheitstraum, das Symbol der

beflügelten Aufklärung, nach wenigen Jahren aus: heruntergekommen – genau übrigens wie das Wunderwerk, das Vaucanson einst mit seiner mechanischen Ente geschaffen hatte. Eine anthropologische Lektion, was das Wunder der Gewöhnung angeht. Auch das eben war das Erbe, das nun das neunzehnte Jahrhundert anzutreten hatte. Da es niemanden überraschen wird, kann man es geradeheraus sagen: Dieses Erbe hat es sich redlich erworben – um es dann doch nicht zu besitzen. Und das kam so: Bis zur Jahrhundertmitte hatte man viel experimentiert, vor allem aber Ballonvereine sowie Aktiengesellschaften gegründet und sogar einen „Post-Ballon" erfunden. Ungelöst blieb aber das Problem der Lenkung, und man wollte schließlich ankommen, wo man wollte. „Der Mensch denkt, Gott lenkt" sollte Marx denn auch in Jahrhundertmanier in „Der Mensch denkt: Gott lenkt" umwandeln. Aber das teleologische Projekt, die Lenkung also, war auch noch nicht gelöst, als ein Ballon in Zigarrenform mit einem dampfgetriebenen Propeller konstruiert wurde und 1852 über den Dächern von Paris aufstieg. Zehn Jahre später sollte die Erfindung des Gasmotors eine neue Epoche in der Fliegerei einleiten: 1872 erreichte ein solches Luftschiff bereits aus eigenem Antrieb eine Geschwindigkeit von 20 km/h. Den eigentlichen Durchbruch aber schaffte Ferdinand Adolf Heinrich Graf von Zeppelin mit seinem „Starluftschiff", dessen Jungfernfahrt – 1900 – schon ins nächste Jahrhundert fiel.

Die Literatur indessen hatte von Jean Paul über Victor Hugo bis zu Jules Verne das Fliegen längst gelernt und darüber nicht vergessen, was der „hohe Mensch" wirklich sei: Es sei jemand, so Jean Paul in der „Unsichtbaren Loge", der ein Gefühl „der Geringfügigkeit alles irdischen Tuns" sich bewahrt habe und „den Blick über die Wolken" gerichtet halte.

Stefan-Ludwig Hoffmann

Die satanischen Verfolger

Glaubenskrieger:
Wie sich Freimaurer und Jesuiten das Jahrhundert zur Hölle machten

Nachdem am 14. Mai 1900 ein katholischer Geistlicher an das Krankenlager des Berliner Fabrikbesitzers Joseph Finke gerufen wurde, erschien gegen Abend ein Kaplan und bat, ihn mit dem Kranken allein zu lassen. Dem Geistlichen war bekanntgeworden, daß Finke zwar Katholik, aber auch Freimaurer war. Nichts schien ihm jetzt wichtiger, als den Sterbenden zu überreden, der Freimaurerei abzuschwören. Als Finke das entschieden ablehnte, verließ der Kaplan das Sterbezimmer, ohne ihm die Sakramente der Kirche zu spenden. Auch die katholische Ordensschwester, die den Kranken gepflegt hatte, verließ fluchtartig das Haus. Am nächsten Morgen faßte sie sich ein Herz und kehrte zurück, mit der Absicht, die Ehefrau Finkes zu bewegen, ihren Gatten vor der Freimaurerei zu retten. Nur der Teufel, der mit der Loge im Bunde stehe, sei schuld daran, wenn ihr Gatte aus dem Leben scheiden müsse. Ohne Erfolg. Die letzten Worte des Kranken sollen trotzig: „Ich sterbe als Freimaurer!" gewesen sein.

Berichte über ähnliche Fälle, bei denen katholische Geistliche Freimaurern das Abendmahl und die Sakramente verweigerten, häuften sich in der zweiten Hälfte des neunzehnten Jahrhunderts. Hatten ein Jahrhundert zuvor noch katholische Geistliche selbst der Loge angehört, so war dies nun undenkbar. Wie konnte es sein, fragten sich liberale Freimaurer, daß im Zeitalter von Fortschritt und Aufklärung noch immer religiöse Intoleranz herrschte? Daß die katholische Kirche, besonders in den Unterschichten und bei Frauen, noch einen starken Rückhalt besaß oder, was noch schlimmer war, ihn erneut gewann? War dieses Jahrhundert nicht das Zeitalter der Säkularisierung, in dem das Licht der Aufklärung auch den letzten „Dunkelmännern" heimleuchtete?

Historiker haben die These von der Säkularisierung später gebetsmühlenartig wiederholt, allein, sie ist ein frommer Wunsch geblieben. Die zweite Jahrhunderthälfte war geprägt von einer Wiederbelebung der Volksfrömmigkeit. Davon zeugen die unzähligen Marienerscheinungen der siebziger Jahre von Lourdes bis Marpingen, die größere katholische Pilgerbewegungen anzogen als im „finstersten Mittelalter". Umgekehrt stilisierte sich der Liberalismus mit seinem Glauben an Bildung, Wissenschaft und Fortschritt im nationalen Bürgertum selbst zu einer Art Zivilreligion, die in Deutschland im Kern protestantisch war. Man ging weniger in die Kirche und war doch religiös gestimmt: „Der Kult der Bildung hatte etwas Mystisches!", wie Harry Graf Kessler in seinen Erinnerungen festhielt. Metaphysisches Feindbild dieser Zivilreligion war der römische Katholizismus. Seit den sechziger Jahren lieferten sich Liberalismus und politischer Katholizismus einen kalten Glaubenskrieg. Was für die Katholiken die Freimaurer (und Juden), das waren für die Liberalen die Jesuiten: geheime Agenten der anderen Seite im kalten Krieg.

Die Truppen in diesem Krieg waren freilich ungleich verteilt. Im Jahr der Reichsgründung 1871 gab es 35 000 deutsche Freimaurer, die sich als Stützpfeiler des neuen Nationalstaates und seiner Verfassung betrachteten. Für sie waren die Jesuiten schlichtweg „Verbrecher an der Menschheit", wie der liberale Staatsrechtler Johann Caspar Bluntschli in einer Logenrede behauptete. Den Freimaurern gegenüber standen – vor ihrem staatlichen Verbot im Jahr 1872 – knapp zweihundert Jesuiten. Für viele Katholiken repräsentierten die Logen das Bündnis von liberalem Bürgertum und preußischem Staat. Wie in Marpingen standen der Staat und seine liberale geistige Bürgerwehr allerdings in überwiegend katholischen Regionen auf verlorenem Posten. Der Haß auf den „humanistischen Kulturkampfstaat“ fand dort oft in den Freimaurern ein greifbares Symbol. Im Jahr 1872 erlebte der Aufruhr in Essen nach dem Verbot des Jesuitenordens seinen Höhepunkt im Angriff auf das Wohnhaus eines prominenten Logenbruders und Kaufmanns. Als die Polizei erschien, rief die Menge: „Auf zur Loge!“

Wie in jedem Krieg versuchten beide Seiten, die andere moralisch herabzusetzen. Kaum ein Vorwurf schien zu bizarr, um ihn nicht gegen den Gegner zu wenden. „Sex & Crime“ war auch hier das Erfolgsmuster für fesselnde Geschichten. Berühmt waren die „Enthüllungen“ Gabriel Jogand-Pagès, der sich Leo Taxil nannte. Taxil war bis Anfang der achtziger Jahre Wortführer der französischen „Antiklerikalen-Liga“. Bekannt waren seine Enthüllungsromane etwa über die „Liebschaften Papst Pius' IX.“, die – frei erfunden – zum Amusement antiklerikaler Kreise geschrieben waren. 1881 gehörte Taxil kurzzeitig einer Loge an. Sein Rauswurf aus der Loge und seine Lust am Schwindel (oder sein „Fanatismus für Aufklärung“, wie Theodor Lessing mutmaßte) haben ihn eine überraschende Kehre vollziehen lassen.

Nachdem 1884 Papst Leo XIII. in seiner Enzyklika „Humanum genus“ wie seine Vorgänger die Freimaurer als „Synagoge des Satans“ verteufelt hatte, schwor Taxil dem Antiklerikalismus ab und begann, antifreimaurerische Schriften zu veröffentlichen. Sein Buch über die „Drei-Punkte-Brüder“ wurde innerhalb weniger Jahre zu einem internationalen Bestseller, weitere „Enthüllungen“ über die Logen und ihre

Lovis Corinth, Die Logenbrüder (1898/1899)

Rituale folgten, die zumeist sexuelle Ausschweifungen, Teufelskult und politische Komplott-Theorien mischten. 1897, ein Jahr nachdem Taxil auf einem internationalen Antifreimaurerkongreß in Trient von den anwesenden Bischöfen gefeiert wurde, löste er einen Skandal aus, indem er sich dazu bekannte, daß seine Schauergeschichten über die Logen nur die katholische Kirche täuschen und lächerlich machen sollten.

Mit seinen „Enthüllungen“ traf Taxil erst die Bedürfnisse der Antiklerikalen, dann die der Klerikalen. Als Grenzgänger zwischen den politischen Milieus popularisierte er die Vorurteile beider Seiten und griff dabei Vorstellungen auf, die in der katholischen Bevölkerung über die „teuflischen“ Logen und im protestantischen oder laizistischen Bürgertum über die „finsteren“ Katholiken kursierten. Wie bizarr der Konflikt zwischen Katholiken und Freimaurern auch wirken mag, auf lange Sicht hat er das politische Klima in

Deutschland wie in Frankreich vergiftet. Manichäisch war die Sprache, in der religiöse Konflikte im „aufgeklärten" neunzehnten Jahrhundert ausgetragen wurden. Während gegen Ende des Jahrhunderts antisemitische Töne im politischen Katholizismus lauter wurden und sich im Mythos einer jüdisch-freimaurerischen Weltverschwörung bündelten, verloren die Freimaurer in dem Maß (nicht von ungefähr gemeinsam mit dem Liberalismus) an Bedeutung, wie sie an einem allgemein-moralischen Führungsanspruch festhielten, der jeden stigmatisierte, der ihrer Gesellschaftsvision nicht folgen mochte.

Im „Zauberberg" hat Thomas Mann in dem Freimaurer Settembrini und dem Jesuiten Naphta die zwei politischen Grundtendenzen des Zeitalters, Aufklärung und Gegenaufklärung, karikiert. Zwischen den beiden Extremen, der Tugendideologie Settembrinis und dem Kollektiv-Terror Naphtas sucht Hans Castorp als Alter ego Thomas Manns vergeblich einen Mittelweg. Settembrini will die jugendliche Seele Castorps vor dem wollüstigen Pesthauch des Jesuiten schützen, Naphta ihn vor den Freimaurern als der geheimen pädagogischen Schutzmannschaft der Zivilisation warnen, die blank ziehe, sobald es gegen die Feinde der Menschheit geht. Die beiden Leitideen des neunzehnten Jahrhunderts, die bürgerlich-aufgeklärte Humanität des Liberalismus und der theokratische, dogmengläubige Konservativismus, so die Botschaft des Romans, waren an dessen Ende in eine tiefe Krise geraten. Die Angst vor der Unterwanderung durch Juden, Freimaurer und Jesuiten sollte zu den beherrschenden Gedanken jenes Terrorregimes werden, das durch diese Krise hervorgebracht wurde.

Josef Mooser

Widersacher und Doppelgänger

Symbiosekette: Arbeiter und bürgerliche Gesellschaft

Die Jahre 1889/90 bildeten einen stürmischen Wendepunkt in der inneren Geschichte des Deutschen Reiches. Bald nach dem Antritt des neuen Kaisers Wilhelm II. wurde Bismarck entlassen; die Bergarbeiter traten in den größten Streik des neunzehnten Jahrhunderts; die Verlängerung des Sozialistengesetzes und damit die weitere Unterdrückung der sozialdemokratischen Arbeiterbewegung fand keine parlamentarische Mehrheit; bei den Wahlen zum Reichstag stieg die fundamental-oppositionelle SPD zur stärksten Partei auf, und im Bürgertum erlebte die Sozialreform einen Frühling. In diesen Zeiten unternahm der junge Kandidat der evangelischen Theologie und Generalsekretär des eben gegründeten Evangelisch-sozialen Kongresses, Paul Göhre, inkognito eine längere Reise ins Arbeiterleben. In Chemnitz kam Göhre in eine Versammlung des sozialdemokratischen Wahlvereins. Er war tief beeindruckt von der Rednerschule in den Vereinsversammlungen. Man legte großen Wert darauf, daß jeder sich ausspreche, um zu lernen, wie er sich in den „großen Versammlungen" mit den Gegnern messen könne. Neben den gewandten Webern, Schlossern und Handarbeitern standen auch solche, die sich nur in der holprigsten Form, in „einem grauenhaften Gemisch von Wissen und Unwissenheit" zu artikulieren vermochten. Aber auch sie „wurden mit Ruhe und Aufmerksamkeit und fast kindlichem Ernst angehört".

Durch die existentielle Reise selber gerade von einem Wandlungserlebnis ergriffen und getrieben vom Rückenwind des politischen Wechsels 1889/90 überwand Göhre seine Furcht vor der unbekannten Welt der angeblich gefährlichen Arbeiter. Vielleicht erinnerte er sich auch an pietistische Konventikel der „kleinen Leute". Aber anders als die Sprache der Frommen zielte das unbeholfene Sprechen der Arbeiter auf eine Herausforderung der Mächtigen und eine Änderung der Welt. Das unterscheidet die „Arbeiter" von anderen Gruppen der „Unterschichten".

Als „Arbeiterklasse" waren sie mehr als eine weitere Gruppe von Lohnarbeitern in der neuen Industrie, und das nicht nur in den Augen von Karl Marx. Im Kommunistischen Manifest stilisierte Marx die „modernen Proletarier" bekanntlich zum „negativen Doppelgänger" der Bourgeoisie. Im herrschaftlichen Produktionsverhältnis mit den Unternehmern sollten sie die globale Revolution des Kapitalismus vorantreiben, um schließlich als dessen „Totengräber" siegreich übrigzubleiben. Diese dialektische Konstruktion des Arbeiters zum Subjekt der Weltgeschichte war eine geschichtsphilosophische Spekulation und vor allem eine grandiose, teuer bezahlte politische Überforderung der Arbeiterschaft selbst. Gleichwohl enthält sie, nüchtern betrachtet, eine immer noch fruchtbare Erkenntnis über die doppelseitige Rolle der Arbeiter in der bürgerlichen Gesellschaft. Als Produkt der wirtschaftlichen Modernisierung war diese soziale Klasse besonders in Gestalt der organisierten Arbeiterbewegungen zugleich eine grundlegende Kraft der Veränderung der bürgerlichen Gesellschaft.

Der Arbeiter war seit der Entstehung einer selbständigen Arbeiterbewegung in der Revolution 1848 ein Teil

Rast auf dem langen Marsch aus der „Proletarität": Arbeiter bei Krupp um 1960

und zugleich Widersacher dieser Gesellschaft und in dieser Funktion eine repräsentative Figur ihrer Selbstbeschreibung wie ihrer Fremd- und Selbstkritik, die nahezu alle Themen der Modernisierung bündelte. In dieser Bedeutung und Funktion dauerte das „lange neunzehnte Jahrhundert", das man üblicherweise im Ersten Weltkrieg enden läßt, in der Arbeitergeschichte bis in die 1950/60er Jahre.

In der „Proletarität" als Lebensschicksal setzten sich alte Elemente der sozialen Lage vorindustrieller Unterschichten fort und gingen neuartige Verbindungen mit Voraussetzungen der Arbeiterexistenz in Fabriken und wachsenden Städten ein: konjunkturell bestimmte, abhängige und fremdbestimmte Tätigkeit, Armut und Enge in der Lebensführung mit wenig Aussichten, diesen Zustand überwinden zu können. Trotz mancher Verbesserungen in der wilhelminischen Hochkonjunktur, die freilich in den wirtschaftlichen Krisen seit dem Ersten Weltkrieg wieder erschüttert wurden, waren bis in die 1950er Jahre Arbeiter und ihre Familien zu einem sehr harten, von vielen Unsicherheiten bestimmten Leben gezwungen – und dies bei deutlich sichtbarer Ungleichheit auf vielen Gebieten der Lebensführung.

Insbesondere der großstädtische und großbetriebliche Industriearbeiter wurde seit der Hochindustrialisierung im späten neunzehnten Jahrhundert zum repräsentativen Typus des Arbeiters, weil er den Wandel in augenfälliger Weise verkörperte. Im Gegensatz zu dieser populären Symbolisierung stellte er tatsächlich aber nur eine Minderheit in der vielfältigen Welt der Arbeiter dar. Zwei Faktoren stifteten allerdings eine übergreifende Stabilität und Orientierung im vielfältigen Wandel: Familie und Organisation sollten helfen, aus der „Proletarität" herauszutreten. Obwohl die Kultur der Berufsarbeit und Arbeiterpolitik eine männliche war und die Arbeiter wenig Respekt für die weibliche Arbeit kannten, leisteten die Frauen in den Arbeiterfamilien Entscheidendes für die Bewältigung des Arbeiterlebens. Zu dieser unscheinbaren alltäglichen Selbsthilfe trat die spektakuläre Selbsthilfe in Gestalt der Arbeiterbewegungen. Die Vereine, Genossenschaften, Gewerkschaften und Parteien erreichten zwar längst nicht alle, aber nach dem Ausbau zu Massenorganisationen seit den 1890er Jahren doch Millionen von Arbeitern. Sie vor allem symbolisierten die Anstrengung, die uralte Einheit von Armut und Arbeit zu trennen, leisteten praktische Hilfen und schufen den Typus des Arbeiters, der historisch bislang unbekannt war: den „kleinen Mann" mit Selbstwertgefühl. So läßt sich vielleicht das oft überhöhte Klassenbewußtsein nüchtern verstehen, das Arbeiter auch jenseits der politischen Differenzen einte.

Diese Differenzen waren nicht gering und manchmal abgrundtief. Nie gab es eine politisch homogene Arbeiterklasse, so wenig wie eine eindeutige Definition des Sozialismus. Dennoch lassen sich Schnittstellen zwischen den christlichsozialen und den sozialistischen Arbeiterbewegungen erkennen. Sie klagten die Gerechtigkeit in der Verteilung des Wachstums ein, drängten auf eine demokratische Legitimation und Veränderung der politischen Ordnung im Nationalstaat, auf eine Erweiterung der Staatsaufgaben hin zum Sozialstaat und auf eine Kontrolle über das Privateigentum. Das „Endziel" des Sozialismus als einer Alternative zur bürgerlich-liberalen Ordnung bildete lange einen Antrieb, auch noch in Zeiten wie der Weimarer Republik, als die Sozialdemokratie als staatstragende Kraft im demokratischen Sozialstaat fungierte. Unter dem Realitätsdruck verdünnte sich zwar der Wille zur Verbesserung der Welt, blieb aber doch ein historisches Zeichen.

Entscheidend für die Entstehung der Arbeiterbewegungen war ihre politische Autonomie gegenüber den Bürgern. Stilbildend wurde in dieser Autonomie jedoch auch die Aneignung der bürgerlichen Kultur. In einem wichtigen Punkt also war der durch die Arbeiterbewegungen sozialisierte Arbeiter kein negativer, sondern ein positiver Doppelgänger des Bürgers. Beide teilten die Wertschätzung der Arbeit als gestaltende, sozial verbindende und dienende Tätigkeit, die den Menschen erst zum Menschen mache. Damit verband sich Bildung als fundamentale Leitidee der Arbeiterbewegungen. Der „lesende Arbeiter" oder öffentlich redefähige Arbeiter blieb – bei allen Grenzen – keine bloße Illusion.

Die gegenwärtige Krise der Arbeitsgesellschaft verweist auf einen tiefen Einschnitt in der Arbeitergeschichte seit dem neunzehnten Jahrhundert, denn mit ihr steht der sozialdemokratische Konsensus als Grundlage der äußerst erfolgreichen Modernisierung nach dem Zweiten Weltkrieg auf dem Spiel. Sie brachte eine ungeahnte Wohlfahrtssteigerung und Entproletarisierung des Arbeiterlebens. Ralf Dahrendorf hat in einer Formel Prinzipien der parteiübergreifenden Orientierung unter sozialdemokratischer Hegemonie umrissen: Verbesserung des Lebensstandards durch wirtschaftliches Wachstum, Gleichheit der Bürgerrechte, demokratische Institutionen als Instrumente des Wandels und Vertrauen auf rationales Handeln. Angeblich kennzeichneten diese Prinzipien besonders „rechte" Sozialdemokraten. Doch sie finden sich – terminologisch altmodischer – auch in der Bibel der deutschen Sozialdemokratie, in dem zuerst 1879 erschienenen, in vielen Neuauflagen umgearbeiteten Bestseller „Die Frau und der Sozialismus" von August Bebel. Der sozialdemokratische Marxismus des Erfurter Programms von 1891 war gewiß mehr und doch auch eine marxistisch gedachte, demokratische Modernisierung, die dem sozialdemokratischen Konsensus oder dem Godesberger Programm von 1959 nicht fundamental widersprach.

Trotz oder gerade wegen solcher Kontinuität stellte der sozialdemokratische Konsensus bekanntlich eine späte Antwort auf die Krisen und Katastrophen der bürgerlichen Gesellschaft in der ersten Hälfte des zwanzigsten Jahrhunderts dar. Gemessen an hohen politischen Erwartungen an die Arbeiterbewegungen, blieben die Arbeiter zwar bescheiden, pochten aber doch auf eine historisch neue Art der Anerkennung ihrer Leistungen und personalen Würde: in der Gleichheit als Staatsbürger und als paritätische Verhandlungspartner vor allem in Gestalt der Gewerkschaften und Tarifverträge. In harten Konflikten standen nicht wenige Arbeiter als Außenseiter am Rande der bürgerlichen Gesellschaft. Das heroische Pathos in der Selbststilisierung zehrte immer auch von der Geschichte der Leiden und Verfolgungen von Arbeitern. So wurde die „Internationale" unmittelbar nach der Niederschlagung der Pariser Kommune verfaßt.

Selbstauflösung durch Erfolg

Der oppositionelle Arbeiter als Leidensfigur konnte als Referenz für die radikale Kritik an Bürgertum und Kapitalismus abgerufen werden. Symbolisiert in der geballten Faust, erfolgte dies am wirkungsmächtigsten in der kommunistischen Arbeiterbewegung (verschiedener Spielarten). Sie erlebte ihren Aufschwung seit dem Ersten Weltkrieg in der tiefen Krise der bürgerlichen Gesellschaft und machte in tragischer Weise die authentisch demokratische Arbeiterbewegung zu einem Monstrum, das Emanzipation und Autonomie durch Diktatur und Gewalt verhieß. Trotz der Geburt der autonomen, radikaldemokratischen Arbeiterbewegung in der Revolution von 1848 bestimmte aber nicht der revolutionäre Arbeiter das Wachstum der Arbeiterbewegung zu einer gesellschaftsverändernden Massenbewegung. Diese entstand in den nichtrevolutionären Jahren der Belle Époque vor 1914 mit einem evolutionistischen Marxismus als Modernisierungsideologie. Die Revolutionen des zwanzigsten Jahrhunderts sprachen zwar oft im Namen des Arbeiters, waren aber keine exklusiven Arbeiterrevolutionen, sondern führten mehrfach zu schweren Konflikten innerhalb der Arbeiterschaft.

Die Geschichte der Arbeiter im neunzehnten und zwanzigsten Jahrhundert ist von dem gegenwärtigen historischen Interesse weiter entfernt als noch vor einigen Jahrzehnten. Gründe dafür liegen auch im Wandel der Sache selber. Im demokratischen Sozialstaat kann man eine erfolgreiche Selbstaufhebung der Arbeiterbewegungen sehen; im gigantischen wirtschaftlichen Wandel der letzten Jahrzehnte erfahren Arbeiter eine Marginalisierung als Berufsgruppe, und nach dem Untergang des „real existierenden Sozialismus" durch Selbstzerstörung scheint der Sozialismus aus der Geschichte verschwunden. Angesichts einer gewissen Selbstzufriedenheit über Demokratie, Marktwirtschaft und die Leistungsfähigkeit des Kapitalismus ist es dennoch angebracht, nicht nur an die Leistungen der Arbeiterschaft bei der Herausbildung der gegenwärtigen Welt zu erinnern, sondern auch daran, daß diese Leistungen auch aus der Kritik der alten bürgerlichen Ordnung entsprungen sind. Daraus ist die Demokratie entstanden, und davon lebt sie.

Albrecht Kunkel

Formelbuch

Li, Be, B, C, N, O, F, Na, Mg, Al, Si, P, S, Cl

Rußlands höhere Bildungsstätten nahmen Studienbewerber aus Sibirien, so begabt sie auch sein mochten, Mitte des vorigen Jahrhunderts noch nicht auf. Die Witwe Mendelejewa, die eigens für eine akademische Karriere ihres jüngsten, des 17. Kindes von Tobolsk nach Moskau und weiter nach Sankt Petersburg umgezogen war, konnte den Jungen dort lediglich am Pädagogischen Institut unterbringen – zehn Wochen bevor sie starb. Dmitri Iwanowitsch Mendelejew (1834 bis 1907) brillierte dann als Lehrer derart, vor allem in Chemie, daß er 1857 doch zum Studium zugelassen wurde und die Regierung ihn 1859 sogar zur Vertiefung seiner Kenntnisse nach Heidelberg schickte. 1864 erhielt er eine Professur am Technischen Institut in Sankt Petersburg, 1867 an der Universität; und weil kein Lehrbuch seinen Ansprüchen genügte, schrieb er selber eines: „Die Prinzipien der Chemie".

Bei der Arbeit daran beschäftigte Mendelejew sich intensiver als Fachgenossen vorher mit den Ähnlichkeiten und Unterschieden der damals bekannten Elemente. Er erkannte, daß sich nicht nur Serien mit einer bestimmten Variation von Eigenschaften zusammenfanden, sondern solche Sequenzen sich auch untereinander zuordnen ließen. Es entstand auf diese Weise aus korrespondierenden Zeilen und Spalten ein umfassendes Klassifikationsschema, das Mendelejew 1869 veröffentlichte – die Urform des Periodensystems. Insbesondere die verbesserte Version von 1871 war so fein durchdacht, daß Mendelejew Prognosen wagte. Stimmte das Prinzip, ergaben sich nämlich Fehlstellen in der

Tabelle. Daraus schloß er auf unbekannte Substanzen und leitete analog zu den schon erkannten regelmäßigen Bezügen mutmaßliche Charakteristika für sie ab. Tatsächlich wurden daraufhin 1875 Gallium, 1879 Scandium und 1886 Germanium entdeckt. Selbst die Existenz eines Grundstoffs, der sich als einer der seltensten erwies, sagte er voraus: Der Französin Marguerite Perey (1909 bis 1975) gelang 1939 der Nachweis des dann Francium genannten radioaktiven Elements, von dem die gesamte Erdkruste schätzungsweise nicht mehr als 24,5 Gramm enthält.

Für einen deutschen Chemiker war Mendelejews Durchbruch Bestätigung und Enttäuschung zugleich. Julius Lothar Meyer (1830 bis 1895) hatte ebenfalls ein Klassifikationsschema der Elemente entwickelt, publizierte es jedoch erst 1870. Neidlos vermied er einen Prioritätenstreit. Einen Ehrenplatz erhielt der auch sozial- und bildungspolitisch engagierte Forscher in dem von ihm konzipierten System selbst, das – was die natürlichen Elemente betrifft – längst komplett ist, aber um künstliche noch immer erweitert wird: Das neunte dieser Transurane, 1955 durch Bombardement von Einsteinium mit Helium-Ionen erzeugt, heißt Mendelevium.

Frankfurter Anthologie

Redaktion: Marcel Reich-Ranicki

FRIEDRICH HEBBEL

Wenn die Rosen ewig blühten

Wenn die Rosen ewig blühten,
Die man nicht vom Stock gebrochen,
Würden sich die Mädchen hüten,
Wenn die Burschen nächtlich pochen.
Aber, da der Sturm vernichtet,
Was die Finger übrigließen,
Fühlen sie sich nicht verpflichtet,
Ihre Kammern zu verschließen.

Marcel Reich-Ranicki

Die Kammern der Mädchen werden nicht verschlossen

Über: *Friedrich Hebbel, Wenn die Rosen ewig blühten*

Gegen Ende des neunzehnten Jahrhunderts galt Hebbel als der jüngste, der letzte der deutschen Klassiker. Vieles aus seiner Feder wurde geschätzt, manches sogar, die Tagebücher zumal, bewundert. Aber wurde er je geliebt? Seine Werke seien, hieß es immer wieder, spekulativ, kalt und konstruiert. Nicht das Sinnliche und Anschauliche dominiere bei ihm, sondern das Gedankliche und Weltanschauliche, oft ist vom Grüblerischen die Rede. Das trifft schon zu, und es fällt mir schwer, an eine Hebbel-Renaissance zu glauben. Nur sollte man nicht vergessen, daß er zu den exemplarischen Autoren des neunzehnten Jahrhunderts gehört.

Der Tradition verpflichtet, war er keineswegs altmodisch. Sein Drama verdankt viel den deutschen Klassikern, weist aber zugleich auf Ibsen voraus. Es gibt bei ihm Gedichte, die an Mörike erinnern (freilich ohne dessen wunderbare Sanftheit) und an Heine (freilich ohne dessen Witz), und andere, die an das frühe zwanzigste Jahrhundert denken lassen, mitunter wird man von Rilke-Tönen überrascht. Sicher ist: Seiner Lyrik geschieht ein Unrecht. Sie wurde schon vor hundert Jahren unterschätzt und wird es heute erst recht. Gewiß, in größeren Anthologien gibt es auch für ihn Platz, fast immer für dieselben vier oder fünf (sehr schönen) Gedichte, für das „Herbstbild" und das „Sommerbild", für das „Nachtlied" und das „Abendgefühl".

Ich will hier eine Lanze brechen für Hebbels Lyrik, und dies mit Hilfe eines so unbekannten Gedichts, das man sogar in der 1965 im Hanser Verlag erschienenen fünfbändigen Ausgabe seiner „Werke“ vergeblich sucht. Aber ich will gleich zugeben, daß ich in diesem Fall befangen bin. Die Sache ist die: Ich war fünfzehn Jahre alt, als mir in einem alten Hebbel-Band sein Gedicht „Wenn die Rosen ewig blühten...“ auffiel. Ich habe es in den seitdem verstrichenen über sechzig Jahren nicht vergessen. Was hat mich damals so beeindruckt? Wohl zunächst Eigenschaften, auf die die Lyrik nicht angewiesen ist und von denen die Seher unter den deutschen Poeten nichts wissen wollten: die Klarheit, meine ich, und die Logik.

Die einfache These des Gedichts lautet: Da das Leben vergänglich ist, haben die Mädchen keine Bedenken, die Burschen in ihre Kammern einzulassen. Ob Hebbel dies für bedauerlich oder für empfehlenswert hält, verrät er uns nicht. Er sagt nur: So ist es. Nun findet sich dieser Gedanke in zahllosen Versen, im Mittelalter ebenso wie in der Antike. Auch das Motiv, das hier die Vergänglichkeit veranschaulicht – das Verblühen der Blumen –, ist uralt. Also ein banales Gedicht? Schwamm drüber?

Die meisten Gedichte, die Elementares ausdrücken, sind gedanklich trivial. Wenn es aber unter ihnen auch solche gibt, die uns noch nach Jahrhunderten, ja nach Jahrtausenden rühren, so hat es nur mit ihrem dichterischen Reiz zu tun, einem Reiz, der die Lyrik von der Prosa unterscheidet und der sich letztlich einer überzeugenden Definition entzieht. Überdies: Wer ganz Schlichtes poetisch formulieren möchte, ist gut beraten, sich einer möglichst schlichten, unauffälligen Sprache zu bedienen und auch eine möglichst schlichte Form zu wählen.

Alle Worte dieser Verse entstammen dem Alltag, keine Wendung ist erkünstelt, kein Reim ist erzwungen. Das Gedicht besteht aus klaren Feststellungen und einfachen Mitteilungen. Die Form hat Hebbel übernommen von Eichendorff, Heine, Mörike und von vielen anderen, Goethe natürlich nicht ausgeschlossen: Es ist die vierzeilige im deutschen Volkslied besonders beliebte Strophe mit dem Kreuzreim, also abab in der ersten Strophe und cdcd in der zweiten.

Hebbels Kunst zeigt sich vor allem in der Stimmung des Gedichts: Es ist elegisch und schwermütig, seine Melodie zeugt von Resignation. Der Mensch ist, wie es schon in den Psalmen heißt, nur „ein Gast auf Erden" – damit müssen wir uns abfinden. Aber wir dürfen uns von niemandem und von keiner Institution hindern lassen, aus dieser bitteren Erkenntnis die Folgerung zu ziehen. Denn wir wollen glücklich sein – hienieden und nicht erst im Himmelreich. Daher werden die Kammern der Mädchen, wenn die Burschen nächtlich pochen, gern geöffnet.

Daß wir nur einmal auf Erden sind, dieser Einsicht und dem, was sich aus ihr ergibt oder ergeben sollte, verhilft das kleine Gedicht, das wie ein Volkslied anmutet, zur einleuchtenden, ja zur leuchtenden Wirkung.

Friedrich Hebbel: „Gedichte". Eine Auswahl. Mit einem Nachwort von U. Henry Gerlach. Universal-Bibliothek Nr. 3231. Philipp Reclam jun., Stuttgart 1977. 80 S.

Franziska Augstein

Rasse statt Klasse

Wie die Menschheit zum Objekt einer pseudo-biologischen Ethnologie erniedrigt wurde

Er war ein kleiner Mann, von dem die eigenen Freunde sagten, daß bei ihm das Äußere hinter den geistigen Fähigkeiten zurückgeblieben sei: „von niedrigem Wuchs, schwerfälligem Gang und groben Manieren". Sein Embonpoint „verbarg seine Intelligenz", und auch sein „runder, gewöhnlicher Kopf" ließ nicht darauf schließen, was für ein „brillanter Geist" darin hauste. Nein, Julien-Joseph Virey, Apotheker und altgedienter Militärarzt für Napoleons Veteranen, war keine eindrucksvolle Gestalt. Das teilte er mit anderen Europäern, die sich über die verschiedenen Spielarten des Menschengeschlechts Gedanken machten, um schließlich zu dem streng wissenschaftlichen Resultat zu kommen, daß die eigene Art nicht bloß die schönste, sondern überhaupt die beste sei.

Heute ist Virey vergessen, aber im neunzehnten Jahrhundert haben gebildete Rassisten sich auf ihn berufen, derweil ihre Gegner sein Andenken schmähten: Vireys Theorie war der Sündenfall, denn der ungeschlachte Pharmazeut ist als der erste Anhänger des sogenannten „wissenschaftlichen Rassismus" in die Geschichte eingegangen, als der erste, der – kurz nach dem Sturz Napoleons – die Ungleichheit unter den Menschen auf biologische Konstanten zurückführte.

Julien-Joseph Virey war ein ausgeglichener, wenn nicht gemütlicher Mann, der freie Stunden am liebsten in der Bibliothek verbrachte. Er gehörte zu jenen Lehnstuhl-

Forschern, die sich von den Völkern der Welt aus Büchern ein Bild machten. Aber im Bestreben, die stetig wachsende Flut der gesammelten Daten so zu sortieren, daß sie einen Sinn ergaben, entwickelte er eine Hierarchie der „Menschenrassen“ und kam darüber auch auf den Gedanken, daß die Menschheit sich in zwei unterschiedliche Spezies einteilen lasse: Schwarze und Weiße.

Daß Gott die Menschenkinder in verschiedenen Etappen erschaffen hatte, ja, daß der „Neger“ auf der „Skala der Lebewesen“ eine Zwischenstufe zwischen Mensch und Affe darstellte, gehörte zu den naturgeschichtlichen Allgemeinplätzen der frühen Neuzeit. Gegen Ende des achtzehnten Jahrhunderts wurde indes die Behauptung laut, die Verschiedenartigkeit der zwei menschlichen Spezies sei nicht auf klimatische oder kulturelle Besonderheiten zurückzuführen, sondern ihrer Natur selbst eingeschrieben und unwandelbar.

Dieser biologische Determinismus galt vielen als ein Verrat an Adam und Eva und der biblischen Lehre von der Einheit des Menschengeschlechts. Obendrein widersprach er dem naturgeschichtlichen Credo der Aufklärungsära, daß Unterschiede zwischen Völkern und Nationen auf die beständige Wirkung klimatischer und kultureller Umstände zurückzuführen waren und – so die naheliegende Folgerung – überwunden werden konnten, sofern die betreffenden Stämme nur die Fasson ihres Lebens veränderten.

Virey selbst war gottesfürchtig, und zu Beginn seiner Studien folgte er der Aufklärungsphilosophie, deren Ansichten vom Menschen sich mit der christlichen Lehre sehr viel besser vereinbaren ließen als die „moderne“ Anthropologie des neunzehnten Jahrhunderts. Er war dreizehn Jahre alt, als die Französische Revolution ausbrach, und seinen Militärdienst begann er als pharmazeutische Hilfskraft am Straßburger Militärhospital. Von dort wurde er alsbald nach Paris versetzt, wo der begabte Bürgerssohn aus der Provinz erfuhr, was Philosophen und Mediziner über Wesen und Verwesen des Menschen zu sagen hatten.

1801 publizierte er die erste, recht eklektische Kompilation seiner Studien: „Naturgeschichte des Menschengeschlechtes, oder Untersuchungen über seine wesentlichen physischen und moralischen Grundlagen." Daß die Physis und die Moral (das Geistig-Seelische) sich gegenseitig bedingten, wurde damals für selbstverständlich genommen. Vireys erste Naturgeschichte des Menschen unterschied sich wenig von den Elaboraten anderer spekulierender Intellektueller in Paris und anderswo, die von der Natur des Menschen nicht sprechen konnten, ohne auf seine Kulturfortschritte zu kommen.

1824, im zehnten Jahr der Restauration, veröffentlichte Virey eine zweite, stark erweiterte Auflage seiner Naturgeschichte. Auch sie behandelte die Beziehungen zwischen Natur und Zivilisation, daneben aber – teils sogar im Widerspruch zur Milieutheorie – fand sich in jener Ausgabe die erste Formulierung einer biologistischen Rasselehre. Was war geschehen? Was hatte aus dem gelehrigen Schüler der Aufklärung einen Vorläufer der rabiaten Rassetheoretiker gemacht, deren Wirken das intellektuelle Klima des neunzehnten Jahrhunderts vergällte, Marx und Bismarck anregte, die Schädelmaße ihrer Bekanntschaften zu schätzen, und schließlich, im zwanzigsten Jahrhundert, die schrecklichsten Folgen zeitigen sollte? Insofern Virey zwischen dem alten und dem neuen Denken die Brücke schlug, läßt sich an ihm zeigen, warum rassische Kategorien die anthropologisch interessierten Zeitgenossen des neunzehnten Jahrhunderts so stark faszinierten, daß alsbald nicht mehr von „der Natur" des Menschen, sondern von einer Pluralität unveränderlicher Menschentypen die Rede war.

Der wichtigste Grund für die Heraufkunft von Rassetheorien, die in den dreißiger Jahren des neunzehnten Jahrhunderts schon ein gutes Dutzend höchst schreibfreudiger Fürsprecher hatten, war die wachsende Einsicht in einen fundamentalen Irrtum der alten Zivilisationstheorien: Die Milieutheorie der Aufklärungsära war gut und schön gewesen, solange sie nicht in der Praxis überprüft wurde. Jahrzehnte des Sklavenhandels hatten es aber mit sich gebracht, daß gegen Ende des achtzehnten Jahrhunderts eines augenfällig wurde: Auch in milden klimatischen Gefilden hellte sich die dunkle Haut nicht auf, die eingeschleppten afrikanischen Sklaven gaben sie an ihren Nachwuchs weiter; und die Kindeskinder der weißen Plantagenbesitzer wurden in den Tropen den dortigen Ureinwohnern mit der Zeit nicht ähnlicher.

Es waren nicht die größten Geister, die daraus schnellkluge Schlüsse zogen: 1774 vermutete der auf Jamaica ansässige Edward Long in seiner „Geschichte Jamaicas", daß Schwarze und Weiße unterschiedlichen Spezies angehörten. Und John Bigland, ein englischer Schulmeister und Autor populärer Bücher über Geschichte und Naturgeschichte, vermutete 1816, daß „mehr auf Rasse zurückzuführen ist, als für gewöhnlich angenommen wird". Was das bedeuten mochte, sagten Long und Bigland freilich nicht. Virey, der dieselbe Idee 1801 in einem Halbsatz kurz gestreift hatte, bemühte sich in den Jahren nach Napoleons Sturz um ihre Ausgestaltung: Für das zwischen 1816 und 1819 in Paris publizierte „Nouveau dictionnaire d'histoire naturelle" verfaßte er die wichtigen Artikel über „Mensch", „Spezies", „Rasse" und „Ausartung", in denen er sich an die These von den zwei menschlichen Spezies heranarbeitete.

Im Einklang mit der Klimatheorie des achtzehnen Jahrhunderts schrieb Virey von der Erschlaffung, welche die geistigen Fähigkeiten in übergroßer Hitze erfuhren. Dementsprechend hatten die „Neger einen begrenzten Verstand, eine grundsätzlich minderwertige Zivilisation, weniger echten Mut, Fleiß und Geschicklichkeit als die andere Spezies; außerdem sind sie mehr den Genüssen der Sinne anheim gegeben als dem moralischen Empfinden." Sie standen „dem Tier näher" als die weiße Spezies, die sich nicht im Genuß ihrer animalischen Kräfte verausgabte, sondern anderweitig in Hochform kam: „Wenn man angestrengt nachdenkt", schrieb Virey, „kommt das Gehirn zu einer Art Erektion" – es hatte etwas mit dem arteriellen Blut zu tun, das dem Denkenden zu Kopfe stieg.

Die Stärke des „Negers" lag dagegen im Körperlichen, weshalb er Virey auch für harte Arbeit wie geschaffen dünkte. „Es gibt natürliche Ungleichheiten", schrieb er 1824: folglich brauchte es deren auch künstliche, damit die Gesellschaft ebenso gut funktioniere wie die Natur. Die Schwarzen seien nun einmal nicht in der Lage, sich selbst zu regieren: „Die Neger sind große Kinder." So mißverständlich das auch klang, war Virey letztlich doch ein Gegner der Sklaverei, die in Frankreich erst 1848 abgeschafft wurde. Dem Doktor war denn auch gelinde unwohl bei dem Gedanken, daß seine Argumentation zu ihrer Rechtfertigung mißbraucht werden konnte – wie es später in den amerikanischen Südstaaten der Fall war, wo jene Kapitel aus seiner „Naturgeschichte" gesondert publiziert wurden, die den „Neger" und seine fröhlich-tumbe Natur beschrieben.

Vielfach ist vermutet worden, daß die Rassetheorien auch deshalb so florierten, um in einer Welt, die doch dem Grundsatz von der Gleichheit aller Menschen huldigte, die Versklavung von Millionen Menschen zu legitimieren sowie ihre Ausbeutung und Ausrottung schönzureden. Leider aber haben selbst die größten Menschenfreunde der Zeit sich der neuen rassischen Kategorien nicht erwehren können: Wo die Interessen der Wissenschaft am Werk sind, braucht es die der Wirtschaft mitunter gar nicht.

*Die menschliche Art im Rahmen der Naturgeschichte gesehen:
Unter der Ägide von Georges Cuvier (1769 bis 1832), dem Direktor des Pariser Musée d'histoire naturelle, wurde ein Kompendium über die Naturgeschichte der Lebewesen publiziert: „Le Règne animal".
Die dritte Ausgabe, die 1836 bis 1849 – nach Cuviers Ableben – erschien, blieb seiner Lehre treu:
Die Menschheit hatte die letzte einer Reihe großer Flutkatastrophen auf drei verschiedenen Bergesketten überlebt.
Hernach hatten die „Neger" sich vom Atlasgebirge aus verbreitet.
Die Asiaten stammten vom Altai.
Und der Kaukasus war die Urheimat der „Kaukasier", die Cuvier in „semitische" und „indo-europäische" Stämme schied.
Wie die Abbildung zeigt, wurden auch antike Darstellungen zu dieser ethnologischen Einteilung herangezogen.*

Der deutsche Anatom Samuel Thomas Soemmerring, einer von Vireys wissenschaftlichen Gewährsleuten, hatte wirklich gemeint, im Namen der reinen Lehre „Die körperliche Verschiedenheit des Mohren vom Europäer" zu untersuchen, und war perplex, als ihn sein Göttinger Kollege Johann Friedrich Blumenbach auch aufgrund dieser 1784 publizierten Schrift der Menschenverachtung zieh. Die Schädelvermesser, die Virey zitierte, meinten tatsächlich, dem Geheimnis der geistigen Vermögen von Individuen oder Völkern auf der Spur zu sein. Der berühmte Anatom Georges Cuvier, die Pariser Koryphäe auf dem Gebiet der Naturgeschichte, war so gläubig, daß ihm ganz unheimlich zumute wurde, als er 1812 vortrug, die gegenwärtigen Menschentypen könnten die letzte große Flutkatastrophe ihrer Geschichte auf verschiedenen Bergesgipfeln überlebt und sich hernach – den jeweiligen Umständen entsprechend – unterschiedlich entwickelt haben. Wenn aber ein Cuvier dergleichen andeutete, dann durfte Virey es ohne Skrupel aufgreifen: Das Feld lag offen, Gewissensbisse erübrigten sich.

Anders als Darwins Evolutionstheorie brachen die Rassetheorien der Epoche nicht mit dem früheren Denken. Virey mußte nicht mutig sein, sondern lediglich montieren, was an Gedankensplittern schon in Umlauf war. Ungereimtheiten ließen sich nicht vermeiden. Charles Darwin war der erste, der eine widerspruchsfreie Theorie für das Verhältnis zwischen Abstammung und Physiognomie eines Lebewesens entwarf. Virey hingegen hatte in Wahrheit keine Ahnung, wie die zwei humanen Spezies denn entstanden seien. Und seine Vorstellungen von den Mechanismen der Vererbung waren ein Potpourri aus landläufigen Vorstellungen, Immanuel Kants Keimtheorie und den Ideen des großen Naturalisten Buffon, dessen Schriften er herausgab. Einesteils glaubte Virey, daß erworbene Eigenschaften nicht erblich seien, da die Schöpfung sonst ein Bild des Chaos geboten hätte. Dann wieder philosophierte er angelegentlich darüber, daß die Söhne mancher Juden schon beschnitten zur Welt kämen.

Wenn Virey biologische Kategorien mit anthropologischen Beobachtungen verquickte und die Natur des Menschen in den Denkmustern der Rassetheorien verhandelte, deren Reiz darin lag, daß sie unverbraucht waren und weder bewiesen noch widerlegt werden konnten, so war das am Ende wohl weniger seiner Erfindungsgabe als dem französischen Zeitgeist zuzuschreiben. In England, wo die Religion im Kampf gegen Aufruhr und Materialismus à la française erstarkte, zollte die Wissenschaft dem Wort der Bibel Respekt. Und in den deutschen Ländern wurde weniger der Materialismus als die idealistische Naturphilosophie kultiviert, die aus den anatomischen Befunden ihre ganz eigenen, seltsamen Schlüsse zog. So blieb denn Frankreich ein Land, das – wie Virey 1816 nicht ganz zu Unrecht schrieb – „den Naturwissenschaften in der letzten Zeit die größten Anstöße gibt".

Der britische Historiker Michael Biddiss hat die Französische Revolution für die Heraufkunft des wissenschaftlichen Rassismus mitverantwortlich gemacht: Wo alle Hierarchien über den Haufen geworfen und alle Ordnung zum Teufel war, meint Biddiss, mußten neue Etagen eingezogen werden, damit die im ideologischen Chaos hausenden Europäer wieder ruhig schlafen konnten. So prägnant die These ist, gehört sie doch eher in die zweite Hälfte des Jahrhunderts. Auf Vireys Person reimt sie sich schon gar nicht. Der war nämlich ein Kind und Anhänger der revolutionären Umwälzung; von seinen liberalen Neigungen ließ er auch unter der Restauration nicht mehr ab und nahm es sogar hin, daß seine politische Meinung ihn um die ersehnte Professur gebracht hat. Diesem Sproß des provinziellen Bürgertums mußte die Auflösung des Ancien Régime entgegenkommen. Sofern die Idee einer Hierarchie ihm teuer war, konnte er sie innerhalb der durchaus noch gültigen Weltsicht pflegen, die den Kopf zum Beherrscher der Glieder erklärte, die Seele zum edlen Zentrum der geistigen Vermögen und den Herrgott zum Herrscher über alle Seelen: Für seine gottgefällige Klassengesellschaft der Völker und Lebewesen hätte Virey keine Rassetheorie benötigt.

Später wurden „Klasse“ und „Rasse“ tatsächlich gegeneinander ausgespielt. Weiße Arbeiter in den Vereinigten Staaten und auf den britischen Inseln lebten in dem Glauben, auf der sozialen Stufenleiter gar nicht so schlecht plaziert zu sein, und ihre gebildeten Herren bestärkten sie darin: Die „caucasischen“ Amerikaner hatten die Schwarzen, auf die sie hinabgucken konnten, und die „angelsächsischen“ Engländer durften stolz darauf sein, über den minderwertigen keltischen Iren und Schotten zu stehen. Dergleichen wird aus der zweiten Hälfte des neunzehnten Jahrhunderts berichtet, in der Entstehungszeit des „wissenschaftlichen Rassismus“ hingegen hatte dies Kalkül noch keinen Platz. Wenn die biologistischen Rassetheorien zu Beginn des Jahrhunderts von politischen Umwälzungen befördert wurden, dann ist die Erklärung dafür nicht auf dem Gebiet gesellschaftlicher Allegorien und auch nicht auf dem der sozialpsychologischen Manipulation zu finden, sondern in der wissenschaftlichen Neigung der Zeit, die von ihren Anhängern als Empirismus verstanden und von ihren Feinden als Materialismus denunziert wurde: Im postnapoleonischen Frankreich wurden die physiologischen Wissenschaften von Leuten beherrscht, die an die göttliche Seele nur noch insofern glaubten, als sie mit Säge und Skalpell nach dem fürs Menschenhöchste zuständigen „Seelenorgan“ auf der Suche waren.

Solange die Überlegungen über die Völker der Welt sozusagen unter dem scharfen Auge des Schöpfers angestellt wurden, fiel es den Anthropologen nicht ein, jeden Gedanken zu Ende zu denken. Als aber der Mensch ohne Rücksicht auf den Schöpfergott vermessen und klassifiziert wurde, da war es, als wenn sich die schützende Hand dieses Gottes zurückgezogen hätte. Nun endlich wurde praktiziert, was bis dahin nur vage Programm gewesen war: Die „Naturgeschichte des Menschen" zu erzählen bedeutete, den Menschen „als Tier" zu betrachten. So wurde er, der bis dahin immerhin eine „Seele" hatte, zu der nur der Herrgott den Schlüssel besaß, in der Theorie des neunzehnten Jahrhunderts zum Tier.

Folgen dieser Entwicklung waren zunächst die Rassetheorien und dann der Darwinismus, der in seiner pervertierten Interpretation, dem Sozialdarwinismus, den biologistischen Rassismus sogar in die Gesellschaftstheorie einführte. Julien-Joseph Virey hat das nicht mehr erlebt. Er starb 1846. Daß Napoleons Größe in Wahrheit an seinen Taten abzulesen war, hat er bis zum Schluß für möglich gehalten, derweil seine Standeskollegen schon längst darüber stritten, ob das Gehirn des Kaisers nach seiner Krönung wirklich an Volumen zugenommen hatte oder ob es nicht – wie sein Leibarzt auf St. Helena nach der Obduktion berichtete – in Wahrheit eher leichtgewichtig gewesen sei.

EBERHARD RATHGEB

Das schreibwütige Entlein

Hans Christian Andersens Ruhm

Dryaden sind Baumnymphen. Und Baumnymphen sind halbgöttliche Wesen. Und halbgöttliche Wesen sind Wesen, die nicht ganz von dieser Welt und also noch von woanders her sind. Ein Mensch nun aber, der nicht ganz von dieser Welt ist, der ist nicht ganz bei Trost. Doch er ist damit noch lange keine Baumnymphe, sondern vielleicht einer, der aller Welt Geschichten von Baumnymphen erzählt. Warum macht man das? Damit sich alle Welt an den Kopf schlägt und sich fragt, ob man denn bei Trost sei, wenn man sich nicht vor den Kopf schlagen und fragen würde, ob man denn bei Trost sei. Im neunzehnten Jahrhundert gab es vor allem einen, der sich vor aller Welt ständig an den Kopf schlug und dadurch schließlich in der ganzen Welt berühmt wurde. Das war Hans Christian Andersen aus Kopenhagen.

In London hatte im Jahr 1849 ein Mann seine Zelte aufgeschlagen, der seinen Mitmenschen schon einigen Ärger verursacht hatte und später noch, nach seinem Tod, einen noch größeren, einen weltweiten Ärger hervorrufen würde. Der Mann hieß Karl Marx und saß lange Tage und Nächte über Büchern und verbrachte Tausende von Stunden in der Bibliothek und brütete vor sich hin. Dann erschien 1867 endlich der erste Band eines Buches, das später gar ein Bestseller werden sollte. Es war „Das Kapital". Nur wenige Proletarier lasen das Buch. Dafür steckten Intellektuelle ihre Nase hinein. Wenn sie auch nicht durch die über zweitausend Seiten kamen, so ackerten sie doch im ersten Band herum und dort vor allem und immer wieder durch das schön schwierige Kapitel über den Fetischcharakter der Ware, weil einem dort ja die Augen erst auf- und dann übergingen über den Gebrauchswert und den Mehrwert einer Ware.

Da schlug man sich schon beim Lesen an den Kopf, weil man in seinem ganzen langen oder auch nur kurzen nachdenklichen, auf jeden Fall aber vom Warenfetischismus verdunkelten Leben vor diesem handlichen, einem ein helles Licht aufsteckenden vierten Abschnitt im ersten Kapitel des ersten Bandes blind vor all den Waren gewesen ist. Denn man hatte bis zu diesen Seiten hin nicht gesehen, was es mit der Wirklichkeit der Wirklichkeit, was es also mit der Ware auf sich hatte, die eben nicht nur einen Gebrauchswert hat, sondern auch etwas anderes, also einen Mehrwert. Die Ware war das Baumnymphchen der Ökonomie.

Im Jahrhundert des Kapitals machten auch die Romane des dänischen Schriftstellers Hans Christian Andersen ihren Weg hinaus und brachten dem Autor einiges Geld und mehr Ruhm zurück. Er war, wie der Herausgeber einer neuen Andersen-Anthologie, Johan de Mylius, feststellt, „von Rußland bis Amerika" als Romanautor damals schon berühmt. In den fünfziger Jahren, also einige Jahre darauf, sattelte Andersen um und schrieb von nun an mehr Märchen, und zwar nicht nur für Kinder. Ihm wurde das Märchen, so Johan de Mylius, „zum Inbegriff der Dichtung". „Unsere Zeit", erklärte Andersen 1868, ein Jahr nach dem Erscheinen des ersten Bandes des „Kapital", sei „die große, wunderbare Zeit des Märchens", und schlug sich vor den Kopf.

Was ist die Wirklichkeit der Wirklichkeit? Der seelensezierende Sören Kierkegaard hatte Andersen früh schon vorgeworfen, er, Andersen, würde nicht in „die Geschichte der Herzen" hineinblicken, sondern lieber in einer Postkutsche in Europa durch die Gegend fahren, aus dem Wagenfenster mal links, mal rechts schauen und sich zerstreuen lassen. Für eine Geschichte der Herzen, wie sie Kierkegaard vorschwebte, wird sich Andersen aber herzlich wenig interessiert haben. Herzlich viel dagegen lag Andersen an einer, wenn auch kleinen, wenn auch unvollständigen „Geschichte der Herzensbildung" in seinem kapitalgetriebenen Jahrhundert.

Andersens „Ware" war „das Leben", das durch das neunzehnte Jahrhundert und also immer tiefer hinein in die technische Zivilisation und also immer weiter weg von einer heimatlichen und menschlichen Natur wanderte, weil es dorthin nun wandern mußte. Diese Ware hatte einen Gebrauchswert, und das waren die Konventionen, die alles Menschliche oberflächlich regelten und am geschäftigen Laufen hielten. Und sie hatte auch einen Mehrwert, und das war ein Herz auf dem rechten Fleck. Dieser „Ware" widmete Andersen nicht nur ein Kapitel, sondern Hunderte von Geschichten, seine berühmten Märchen.

Wer nun also ein Märchen von Hans Christian Andersen las, der sollte sich dabei oder spätestens danach vor den Kopf schlagen, weil er in seinem Gebrauchswertleben immer nur ganz bei Trost und also immer nur ganz mit von der Partie der konventionellen Wirklichkeit gewesen war, während doch ein menschliches Herz darunter anrührend und heimatlich und eben mehrwertig schlug. Damit war „das Leben" zum Baumnymphchen der Literatur geworden. Und damit war das neunzehnte mit dem zwanzigsten Jahrhundert verbunden, das ja in den ersten Jahrzehnten sich den Kopf über das „Leben" zerbrach, wie nicht zuletzt auch Thomas Mann.

Hans Christian Andersen aber wurde zum Märchenonkel für Kinder. Diese Einschätzung änderte sich erst in den vergangenen Jahren, als man den literarischen Einflüssen Andersens auf die moderne Literatur nachspürte und man seine Geschichten neu übersetzte. Einen anderen, einen

Andersen für Erwachsene möchte nun auch die Textauswahl von Johan de Mylius vorstellen. Also nahm man unbekannte Texte oder übersetzte bekannte Texte neu, und zusammengenommen sollen sie nun ein vollständiges Bild Hans Christian Andersens ergeben. So wird aus dem Märchenplauderer Andersen ein Zeitgenosse seines Jahrhunderts, der sich für Seele und Technik, Wissenschaft und Poesie, Glauben und Wissen, soziale Erfahrungen und politische Mißstände mehr interessierte als man lange angenommen hatte.

Hans Christian Andersen: „Märchen, Geschichten, Briefe“. Ausgewählt und kommentiert von Johan de Mylius. Aus dem Dänischen übersetzt von Ulrich Sonnenberg. Insel Verlag, Frankfurt am Main 1999. 432 S.

Friedrich Niewöhner

Gottes Tochter

Ernest Renan porträtierte in seinem „Leben Jesu" nicht nur den Erlöser

Als Ernest Renan, er war gerade vierzig Jahre alt geworden und seit einem Jahr Professor am Collège de France, am 24. Juni 1863 in Paris bei Michel Lévy sein Buch „Vie de Jésus" (Leben Jesu) veröffentlichte, kostete ihn diese Publikation zwar seinen Lehrstuhl, doch schon im Erscheinungsjahr wurde das Buch zehnmal mit je fünftausend Exemplaren verlegt, und bis 1921 erlebte es in Frankreich 130 Auflagen und erschien in einunddreißig deutschen Ausgaben. Die von Renan selbst gekürzte Fassung („Jésus", 1864) stand neben dem 1886 erschienenen „Islandfischer" von Pierre Loti (eigentlich Jullen Vlaud) am Ende des neunzehnten Jahrhunderts in jedem bürgerlichen Bücherschrank, in dreizehn Sprachen wurde sie übersetzt. Auch Dostojewski las sie und gestaltete nach Renans Jesus seinen Fürst Myschkin, der als „Idiot" die literarische Welt eroberte.

Renans „Leben Jesu" überflutete nicht nur alle staatlichen Grenzen, sondern auch alle konfessionellen Abgrenzungen, heftigste positive und ablehnende Reaktionen rief es in allen Konfessionen hervor und überschattete selbst in Deutschland die Diskussion, die sich David Friedrich Strauß mit seinem „Das Leben Jesu für das deutsche Volk bearbeitet" (1864) erhofft hatte. Nach 1906 konnte Albert Schweitzer feststellen: „Renans Leben-Jesu bedeutete ein Ereignis in der Weltliteratur."

Ein „Leben Jesu" als Weltliteratur? Renan hatte seine Abhandlung ausdrücklich nicht als Literatur geschrieben. In seinen 1883 abgefaßten „Jugenderinnerungen“ sagt er rückblickend, er habe ein ganzes Jahr darauf verwendet, „um im ‚Leben Jesu‘ den Stil zu verwischen, da nach meiner Ansicht ein solcher Gegenstand nur in der einfachsten und nüchternsten Art behandelt werden kann“. Trotzdem durchatmet das Buch ein enthusiastischer Ton, der bestätigt, was Renan an Marcelin Berthelot geschrieben hat: „Ich glaube, daß der Leser lebendige Wesen sehen wird und nicht diese fahlen, leblosen Phantome – Jesus, Maria, Petrus und so weiter, die nur abstrakte, nur typisierte Wesen sind.“

Renan arrangiert das Leben des Jesus also neu, er gibt Jesus sein eigentliches Leben wieder. Und diese Wiedererweckung geschieht nicht im gelehrten Anmerkungsapparat, sondern durch Bilder und Metaphern, durch die Sprache des Buches. Man kann darum sagen, daß das eigentliche Kunstwerk nicht das „Leben Jesu“ von 1863, sondern die schlichte, allein auf den Fluß der Erzählung vertrauende Volksausgabe „Jésus“ von 1864 war.

Um die Melodie, den Duktus und die Sprache des „Leben Jesu“ zu verstehen, greift man am besten zu dem Büchlein „Henriette Renan“, das ihr Bruder während der Arbeit am „Leben Jesu“ geschrieben und 1862 in nur hundert Exemplaren verteilt hatte. Das letzte Drittel dieser Erinnerungen an seine am 24. September 1861 in der Nähe von Beirut gestorbene Schwester umfaßt die Zeit, in der Renan mit ihr im Orient weilte und zwanzig der dreiundzwanzig Kapitel des „Leben Jesu“ schrieb.

Das Verhältnis der Geschwister war sehr innig. Bei ihrem Tod lag Renan selbst schwerkrank, in „verhängnisvoller Ohnmacht“ und von Fieberhalluzinationen geschüttelt, darnieder. Einer dieser Fieberträume versetzte ihn „an die Quellen des Adonisflusses, unter die mächtigen Nußbäume, die über den Wasserfällen stehen. Sie saß neben mir auf frischem Rasen, ich führte eine Schale Eiswasser an ihre

Androgyne Schönheit des Heilands: Raoul Larche modellierte um 1900 „Der zwölfjährige Jesus im Tempel“

sterbenden Lippen; weinend und mit einem Gefühl tiefen Schmerzes tauchten wir uns alle beide in die Quelle des Lebens.“ Dieses starke Erlebnis Renans schlägt sich dann nieder, als er kurz danach „die tiefe Traurigkeit“ Jesu in seiner letzten Lebenswoche beschreibt. Auch der Meister verfiel „in einen Zustand der Ohnmacht“, Erinnerungen wurden ihm wach, die in scharfem Kontrast zu seiner Situation standen: „Dachte er an die klaren Quellen von Galiläa, wo er Erfrischung, an die Weinberge und Feigenwälder, wo er Ruhe und Kühlung hätte finden können, an die jungen Mädchen, die ihm vielleicht ihre Liebe geschenkt hätten?“

Was Renan als falsche Poesie und Kitsch vorgeworfen wurde, die Leser der Volksausgabe jedoch faszinierte, waren diese poetischen Einschübe, die mit Renans eigenem Erleben verbunden sind. Das Buch – Renan nennt es eine „Kunstschöpfung" – ist nicht an einem Universitäts-Schreibtisch geschrieben worden, sondern „flüchtig in einer Maronitenhütte" im Orient von einem Mann, der diese Landschaft stark erlebte, zusammen mit einer Person, die er ebenso verehrte wie den Meister.

Nachdem Renan seiner Schwester „Unsterblichkeit" bescheinigt hat, fährt er fort: „Dort lebt unsere Henriette, für immer leuchtend, für immer unfehlbar, tausendmal wirklicher als zur Zeit, da sie mit ihrem schwachen Körper kämpfte, um ihren geistigen Menschen zu erschaffen." Auch Jesus wird „Unsterblichkeit" bescheinigt, und dann: „Tausendmal lebendiger, tausendmal mehr geliebt seit seinem Tode als zur Zeit deiner Erdenwallfahrt, wirst du der Eckstein der Menschheit werden." Die Apotheosen ähneln sich; wie das Leben Henriettes, so hat Renan das Leben Jesu mit Liebe geschildert. Renan war kein Häretiker oder Ketzer, er hat ein poetisches Buch geschrieben über die Person Jesus, den er mit großer Intimität wie einen verlorenen Freund geliebt hat. Für Renan war Jesus ein einfacher Mensch, „kein Theologe, kein Philosoph", ein Naturkind gewissermaßen, das selbst die Schule „nur wenig" besucht hat.

Diesem „liebenswerten" Naturkind aus dem „lieblichen" Nazareth mit seiner „liebenswürdigen und heiteren Bevölkerung" wird „die Bosheit der Pharisäer" in Jerusalem gegenübergestellt. Das waren Wissenschaftler (Theologen und Philosophen), doch ihre Wissenschaft „war rein barbarisch, absurd, frei von jedem sittlichen Element". Gegenüber dieser Gruppe von Großinquisotoren hat der junge Einzelgänger aus Galiläa keine Chance. Der Leser fängt an, die Pharisäer zu hassen, die dogmatische Theologie zu verachten und sich selbst von jeder Art Fundamentalismus zu befreien. War das „Leben Jesu" nicht selbst eine Art nachträglicher Rechtfertigung für jenen Tag, an dem Renan das Priesterseminar verlassen und sich seinem persönlichen Gott zugewandt hatte?

Renan präsentiert seinen Lesern einen Jesus, den sich jeder anverwandeln kann, beliebig. Es ist ein Jesus vor jeder christlichen Tradition, ein Jesus, der nicht durch die Brille des Paulus gesehen wird („St. Paul" widmet Renan 1869 eine eigene, nicht sehr wohlwollende Studie). Bedenklich an Renans Jesus ist nicht, daß er ihn von den konfessionellen Bindungen löste, sondern ihn auch vom Judentum zu befreien suchte. Renans Jesus hat nämlich „nichts von seiner Rasse". Als Begründung für diese Behauptung gibt Renan an, „der Jude" könne „diese köstliche Liebestheologie" nicht verstehen.

Das „Leben Jesu" ist ein Buch, das im neunzehnten Jahrhundert von jedem gelesen wurde, auch wenn es keinen ganz zufriedenstellte. Denn es löst alle theologischen Institutionen auf und verweist den Gläubigen allein auf sich selbst. Diese Botschaft des Buches hatte Renan schon in seiner Antrittsvorlesung am Collège de France 1862 kurz angedeutet: „Unsere Religion wird immer weniger jüdisch werden – Sie wird die Religion des Herzens werden, die innere Poesie eines jeden einzelnen – Wir werden immer christlicher werden."

Ernest Renan: „Das Leben Jesu". Vom Verfasser autorisierte Übertragung aus dem Französischen. 3. Auflage. Diogenes Verlag, Zürich 1994. 336 S.

Thomas Rosenlöcher

Puschkin-Verpflanzung

Die Gedichte und eine Biographie

Bis heute sollen in Moskau die Pärchen nicht ausgestorben sein, die auf der Parkbank einander ihre Liebe in Versen erklären. Ein Verhältnis zur Poesie, das altmodisch erscheinen mag, wo Modernität vor allem Beziehungslosigkeit meint. Zur oft bestaunten Puschkin-Begeisterung der Russen trägt das Biographische bei. Durch sein exemplarisches Leben ist er für sie der Dichter schlechthin. „Mein erster Dichter war Puschkin – und mein erster Dichter wurde getötet“, sagt Marina Zwetajewa in ihrem Aufsatz „Mein Puschkin“. Schon das „Mein“ spricht Bände.

In meiner Ausgabe von 1968 steckt bis heute das Lesezeichen verräterisch weit vorn. Freilich, „An Tschaadajew“ – wer hätte nicht, tief im Osten, mit diesen aufrührerischen Versen etwas anzufangen gewußt? Wieso aber sollten am Schluß des Gedichts „auf des Thrones morschen Trümmern“ ausgerechnet die Namen Puschkin und Tschaadajew stehen? Was heute imponiert, befremdete mich damals. Das hatte noch kein Freiheitskämpfer zugegeben, daß er vor allem deshalb Freiheitskämpfer war, um berühmt zu werden.

Befremdlich auch der pathetische Ton, hier wie in anderen Puschkin-Gedichten. Ob nun in der Ode „Die Freiheit“ (die Anlaß zu Puschkins Verbannung war) oder in „An das Meer“ – überall diese Großbegriffe wie „Leidenschaft“ oder „Schicksalswalten“. Nicht einmal der berühmte, „Gift ins Herz“ träufelnde „Dämon“, der „nicht an Freiheit“ glauben will (und mittlerweile als Ironiker in Feuilleton und Fernsehn auftritt), fand Gnade vor meinen Augen. So wie mir Schiller bis heute fremd ist, wenn er die „Freude“ im allgemeinen bedichtet: Folge einer frühen Kränkung durch übermäßige Johannes-R.-Becher-Lektüre. Wobei der Schiller im Puschkin durch Übertragungsverluste auch noch in Richtung Freiligrath tendierte. Wenig ist zu spüren von jenem Spracherneuerer, dem Gogol, schon zu Lebzeiten, den ganzen „Reichtum, die Kraft und die Geschmeidigkeit unserer Sprache“ nachsagte. Geschweige denn die gerühmte Mozartsche Leichtigkeit und Tiefe. Schon Varnhagen hat vor der Lektüre Puschkins auf deutsch gewarnt. Selbst der Herausgeber der neuen Gedichtausgabe meint, daß ein „geistiges Wunder“ nötig wäre, um Puschkin jetzt noch in einen „fremden Boden“ zu „verpflanzen“.

Allerdings, ein mittleres Wunder ist es, daß es eine neue Gedichtausgabe gibt – mit fast sechshundert von einem einzigen Übersetzer teils zum ersten Mal übertragenen Gedichten. Dabei kann oder will die Neuausgabe das Sonntagsdeutsch nicht umgehen: Wörter und Wendungen, die ältere Duden als „dichterisch“ ausweisen und die es gerade deshalb kaum sind; Reime wie „Glut/Blut“, „Nahn/Empfahn“ und „Trachten/schmachten“.

Nun hat zwar Puschkin der damaligen Literatursprache französische Eleganz und Alltagsrussisch beigebracht, sich aber auch oft traditioneller Formeln bedient, die sich offenbar schlecht ins Deutsche transportieren lassen. Sollte man sich nicht deshalb eher für den Erneuerer entscheiden? Puschkins damalige Neuheit behutsam ins Heute transformieren? Durch vorsichtige Verschlankung, diskretere Reimabfolgen? Muß „O Schmach!“ gesagt werden, selbst wenn im Original dergleichen steht? Doch halt: nicht die übliche Übersetzerschelte. Der Übersetzer ist immer der Verlierer. Ein eigener Versuch mittels Rohübersetzung klang auch nicht neu. Nach vielfachen „O Mensch“ und schlimmeren Rufen sind wir hier nur noch bedingt pathosfähig und die unumgänglichen, längst gehabten Reimabfolgen deshalb besonders abgenutzt, weil selbst die Expressionisten, bei aller Sprachzertrümmerung, auf Vorväterweise fortgereimt haben, während es bei den Russen eine Reimerneuerung gab.

Nun zeigt aber ein Vergleich mit den bisherigen – teils aus den sechziger Jahren stammenden, teils älteren – Übersetzungen, daß ihnen die neuen Nachdichtungen Michael Engelhards überlegen sind: gerade was Bündigkeit und Leichtigkeit betrifft. Engelhard muß also nicht zurückgenommen werden. Wodurch der Rezensent mit einer solchen Vielfalt von Tonhöhen, Formen und Gegenständen konfrontiert wird, daß er sich in der Lage eines Mannes befindet, der Goethes Gedichte zum erstenmal liest, um sich über Goethe ein Urteil zu bilden.

„Aus einem Brief an Wiegel", „An die Fürstin M. A. Golizyna", „An ..." : Schon in den Überschriften ein irritierendes Namensgestöber. Die Geburt des Gedichts aus der Epistel. Das Ich definiert sich geradezu durch ein im damaligen Literatur-, Freundschafts- und Erotikbetrieb zu umwerbendes oder zu attackierendes Du, und selbst in der Abkehr werden die „Freunde" angerufen. (Wogegen im heutigen Textrauschen ein eingelöstes Ich schon Seltenheitswert hat.) Mehr noch als bei Goethe gehen Lebens- und literarischer Text stilisiert ineinander über, ergeben gemeinsam erst das Gesamtkunstwerk Puschkin. So ist es hier also ratsam, die Gedichte mit der Biographie auf den Knien zu lesen, bis sich Puschkin-Begeisterung einstellt.

Was für ein Bündel an Vitalität dieser Mann gewesen sein muß! Wie domestiziert dagegen heutige Dichter sind! Allerdings: selbst bei Puschkin stand der Lebenstext dem aufzuschreibenden häufig im Weg, und so gesehen kann man Puschkins Verbannung durch Alexander I. auch als eine literaturfördernde Maßnahme betrachten. „Alle Zeit, die ihm hier neben den substantiellen Gesprächen blieb", so der Herausgeber und Biograph, „verbrachte er im Billardzimmer der Dawydows, wo er – meist auf dem Tisch liegend – schrieb und schrieb und darüber manchmal die gemeinsamen Mahlzeiten versäumte." Seltsam, daß sich der Monumentalfilm nicht Puschkins bemächtigt hat (erst Jahre nach dem Duelltod ist der Befehl zu seiner polizeilichen Überwachung aufgehoben worden).

Der Kern Puschkins – die Leere: diese These Sinjawskis läßt sich besonders in den elegant-ironischen Episteln und Epigrammen nachvollziehen. „Als Dichter hielt er es für seine Pflicht, sich in alle hübschen Frauen und jungen Mädchen, die ihm über den Weg liefen, zu verlieben. In Wirklichkeit liebte er aber nur seine Poesie", berichtet in ihren „Erinnerungen" die Fürstin Wolkonskaja. Vielleicht wird in Puschkins Faust-Szenen nicht umsonst ein Schiff aus Langeweile versenkt.

Viel wesensverwandter als Goethe jedoch scheint Puschkin einem anderen Epikureer zu sein: „Priesterin der Aphrodite/Sieh uns flehend vor dir knien/Gib uns für die Nachtvisite/Einen sicheren Termin." Klingt das nicht ein wenig wie Heine? Und könnte das, viel zartere, „Du und Sie" nicht auch im „Buch der Lieder" stehen? „Sie sagt zu mir, wohl aus Versehen,/Statt Sie ein freundlich-liebes Du./Und meine seligen Träume wehen/Ihr aus verliebter Seele zu.//Gedankenvoll zur Erde blickend/Steh ich vor ihr und schäme mich,/Und sage ihr: Sie sind entzückend!/Und denke: Ach wie lieb ich dich!"

Puschkins Beitrag zur Lorelei- beziehungsweise Rusalka-Literatur ist nicht unerheblich. Einmal darf eine Dame mit „wassergrünem Haar" gekost werden, ohne daß der Held deshalb unter Wasser muß; ein für Deutschland völlig neuer Gedanke. Vor dem Gedicht „Proserpina", wo sich die Todesgöttin als Aphrodite einen Jüngling schnappt und erst die Hölle der wahre Ort der Leidenschaft ist, hätte selbst Heine seinen Hut gezogen – oder, falls Puschkin nach Paris exiliert wäre, sich mit dem Konkurrenten kurzerhand duelliert.

Dennoch mag auch Marina Zwetajewa recht haben, wenn sie als Puschkins Kern „Liebe“ nennt – in einem tragischen Sinn: „Und Menschen, die die unselige Gabe der glücklosen – einseitigen – Liebe haben, entwickeln geradezu Genie bei der Wahl der ungeeigneten Objekte.“ Wie im „Onegin“ ist in manchen Liebesgedichten, in der Balance zwischen gerissenem Spiel und Hingerissensein, etwas Verstörendes – eine Abwesenheit in der Anwesenheit. So wenn bei der Umarmung einer recht anakreontisch anmutenden „Doris“ plötzlich durchs Dunkel ein anderes „Antlitz“ leuchtet: „Und flüsternd sprach mein Mund den fremden Namen nach.“

Alles Gedichte, die, nun auch in Deutsch, für sich selber stehen können. Das ist der Nachteil biographischen Lesens, daß man dabei einen anderen liest, obwohl Gedichte dazu da sind, daß man sich dabei selber liest. Benannt sei wenigstens das unheimliche Schneegestöber in dem Gedicht „Die Dämonen“. Hier hat der Rezensent in seiner deutschen Brust so etwas wie eine russische Seele verspürt. Wie auch bei dem Gedicht „Der Winter“, darin ohne Poesieverlust von ländlicher „Langeweile“ und „Rübenherstellung“ die Rede sein kann, bis man ins „Dämmerlicht“ hinaushuscht: „Wie heiß im eisigen Frost des Mädchens Küsse schmecken!“ Alltagsfeinheiten, wie sie hierzulande nur bei Mörike vorkommen.

Puschkin, viele Dichter in einem und offenbar doch stets er selbst. Eine Anverwandlungsleistung, die Dostojewski, im Zusammenhang mit den Reformen Peters I., darauf brachte, „daß das russische Herz vielleicht unter allen Völkern am meisten zur allmenschlich-brüderlichen Einigung prädestiniert ist.“ Gewiß ist auch demjenigen, dem das übertrieben erscheint, schon der Verdacht gekommen, daß es ohne Rußland kein Europa geben wird.

Das hat sich weiterhin als schwierig erwiesen: auch, wie der Herausgeber hofft, bis zu dem „hinreißenden Freiheits- und Freundschaftspathos Puschkins" vorzudringen, wenngleich gerade die Großbegriffgedichte Ausdruck einer vehementen Sinnsuche sind, in deren Verlauf, statt des „Ruhms", die innere Freiheit, „das Haus", wichtiger werden. Bei dem Gedicht „Das Denkmal", das in Rußland jedes Schulkind kennt, bin ich, schon der Schulkinder wegen, eher froh, daß Goethe dergleichen nicht geschrieben hat. Obwohl es nichts als die Wahrheit spricht: „Und rühmen wird man mich auf dieser Welt, solange/Auch nur ein einziger Dichter lebt." Ja, da gibt es eine kulturelle Differenz. Doch sollte der Begriff der Weltliteratur nicht auch Abstand und Fremdheit einschließen – im Gegensatz zur Allerweltsliteratur? Jedenfalls wird 1999 für mich zum Puschkin-Jahr werden.

Alexander Puschkin: „Die Gedichte". Aus dem Russischen übersetzt von Michael Engelhard. Russisch und deutsch. Herausgegeben von Rolf-Dietrich Keil. Insel Verlag, Frankfurt am Main 1999. 1070 S.

Rolf-Dietrich Keil: „Puschkin. Ein Dichterleben". Insel Verlag, Frankfurt am Main 1999. 450 S.

Gerhard R. Koch

Die Welt als Wahn im Klang

„Dieser dritte Akt ist das fünfte Evangelium, oder vielmehr das erste, das größte von allen. Das ist wirklich kein Theater mehr, das ist keine Kunst mehr, das ist Religion und wie Gott selber." So enthusiastisch ergriffen reagierte der französische Schriftsteller Romain Rolland 1891 im Zuge eines gesamteuropäischen Wagner-Mystizismus auf eine Bayreuther „Parsifal"Aufführung. Wenn das neunzehnte Jahrhundert das der Künste und des parareligiösen Kunst-Kults war, dann war es erst recht das der Musik – und in Deutschland zumal das der Philosophie. Für Frankreich formulierte Paul Verlaine die Devise „De la musique avant toute chose" – Dichtung als Klangkunst –; doch wenn Nietzsche dekretiert: „Ohne Musik wäre das Leben ein Irrtum", dann erhält Sancta Cäcilia den transästhetischen Auftrag, einer Welt, deren Fortschritts-Heilslauf zweifelhaft ist, fundamentalen Sinn zu stiften.

In keiner Gattung ist das dialektische Widerspiel von Rückblick und Aufbruch so bestimmend wie in der Musik des neunzehnten Jahrhunderts. Die Romantiker, durch Aufklärung, Technisierung, Französische Revolution und Napoleonische Kriege verunsichert, erlagen der „Rückwärts-Utopie", träumten vom katholischen Mittelalter, schwärmten vom Vergangenen – bis zur britischen „Ruinen-Romantik". Novalis, dessen „blaue Blume" zum Symbol der Epoche wurde, zog aus der resignativen Erkenntnis „Wir suchen überall das Unbedingte, und finden immer nur Dinge" die Konsequenz: „Die Welt muß romantisiert werden." Und: „Die Philosophie ist eigentlich Heimweh, ein Trieb, überall zu Hause zu sein." Der Blick zurück bringt der Wahrheit näher, führt indes in die Unendlichkeit, konfrontiert mit der Trauer um die Vergänglichkeit: nicht mehr das mittelalterliche-barocke Memento mori, sondern die Hegel'sche „Furie des Verschwindens". Von dieser Sehnsucht nach einem Bleibenden und zugleich der Einsicht, daß eben dieses nicht zu halten ist, singt die Lyrik Brentanos und Eichendorffs.

„Eingeschlafen auf der Lauer oben ist der alte Ritter, drüben gehen Regenschauer und der Wald rauscht durch das Gitter. Eingewachsen Bart und Haare und versteinert Brust und Krause sitzt er viele hundert Jahre oben in der stillen Klause. Draußen ist es still und friedlich, alle sind ins Tal gezogen, Waldesvögel einsam singen in den leeren Fensterbogen. Eine Hochzeit fährt da unten auf dem Rhein im Sonnenscheine, Musikanten spielen munter, und die schöne Braut, die weinet." Schumann hat Eichendorffs „Auf einer Burg" vertont, mit einer einzigartigen Mischung aus karger Archaik und kühner „Emanzipation der Dissonanz", der Schwermut so alles Sentiment ausgetrieben. Synästhesie – der Traum, daß es eigentlich nur eine Kunst gibt, die verschiedenen Ausprägungen des ästhetischen Weltgeists untereinander verbunden, sinnlich vernetzt sind, Hören und Sehen auf geheime Weise identisch sind, also einem auch vergehen können. Brentano hat dies paradox formuliert: „Durch die Nacht, die mich umfangen,/Blickt zu mir der Töne Licht". Wagner hat dies im „Tristan", Brennpunkt nahezu aller romantischen Tendenzen, noch zugespitzt: „Ich höre das Licht." Das Licht, das ist „der öde Tag", unüberbrückbare Gegenwelt zu „dem Land, das Tristan meint, der Sonne Licht nicht scheint." Novalis hatte es schon in den „Hymnen an die Nacht" besungen.

Doch je schwärzer die Romantik, vor allem in Frankreich, eingefärbt wurde, umso verlockender wurde im Zeichen der Wagnerianischen „Gesamtkunstwerk"-Utopie die multimediale Leuchtkraft der Synästhesie. Wagner selbst sprach im Zusammenhang mit seiner „Parsifal"-Musik vom „Spiel farbig bewegter Wolken". Doch eben der ungeheuerliche Theater-Praktiker ahnte auch schon die Risiken einer Bebilderungswelt, die dem Komponierten nicht standzuhalten vermag: „Nachdem ich das unsichtbare Orchester erfunden habe, möchte ich nun am liebsten auch noch das unsichtbare Theater erfinden." Ein epochaler Grundzug zeichnet sich da schon ab: der Umschlag von der Totalität in die Negation – bis hin zu Hitlers „Götterdämmerungs"-Phantasien 1945. Aber nicht nur die Franzosen standen im Banne Wagners; Baudelaire hatte die Pariser „Tannhäuser"-Aufführung 1861 zum Anlaß genommen, den Kult der „Künstlichen Paradiese" zu propagieren. Ob Berlioz oder Wagner: Alle Drogen-Ästhetik führt immer wieder zurück in die Romantik. Gewaltig war Wagners Einfluß auch auf Rußland. Vor allem Alexander Skrjabin war sowohl von Wagners demiurgischen Totalitäts-Ansprüchen fasziniert als auch von der synästhetischen Komponente: Im orchestralen „Promethée" fügt er zum Solo-Klavierpart noch eine „luce"-Stimme hinzu, realisierbar am besten mit einem „Farbenklavier", das zu bestimmten Klangwirkungen analoge Lichteffekte beisteuern sollte. Die Idee taucht schon bei Novalis auf: „Man könnte die Augen ein Lichtklavier nennen ... Sollten die Farben nicht die Lichtkonsonanten sein?" Arthur Rimbaud hat in dem Gedicht „Voyelles" den Vokalen Farben zugeordnet. Skrjabin ging aber noch weiter, träumte im Zusammenhang mit seinem utopischen „Mysterium"-Projekt „acte préalable" sogar von einer präzise einzusetzenden „Duftorgel". Die Mixed-media-Ästhetik seit Walt Disneys farbigem Zeichentrickfilm „Fantasia" (1940), dem eminenten Versuch, Musik und bunte Bildwelten zu parallelisieren, bis hin zu den Son-et-lumière-Spektakeln, ja den Lightshows der Rock-Konzerte, selbst Discos, zehrt vom Traum der vielfachen, sensuell vernetzten narkotischen Überwältigung des Rezipienten – in den hybriden Zügen nicht unanfällig für den totalitären Durchgriff. Umso sublimer, entrückt-berückender, einzig auf die Selbstfindung eines geradezu mystisch assoziationsfähigen Subjekts konzentriert, entfaltet sich die Idee des Ineinsfallens von Sinnes-Empfindungen im Labyrinth von Marcel Prousts „A la recherche du temps perdu" – auch dies ein Beispiel für die romantische Suche nach Verlorenem, Heimweh.

„Wie aus der Ferne" lautet eine Vortragsanweisung in Schumanns „Davidsbündlertänzen", und sie bezeichnet weit mehr als die Imagination akustischer Distanz Eichendorffs „der Sehnsucht Lied". Schöner als alle Singstimmen hat das Waldhorn deren Ruf erschallen lassen: Die Soli bei Weber, Schubert, Brahms und Bruckner üben immer noch eine Wirkung aus, der man sich nicht entziehen kann – weil sie so betörend elegische Nostalgie mit der Ahnung unendlicher Weite verbinden. Die instrumentalsymbolische Steigerung findet sich bei Wagner: Des Hirten „traurige Weise" im dritten „Tristan"-Akt ertönt vom Englisch-Horn – desperat-depressivere, wahrhaft orientierungslose Musik hat das Jahrhundert kaum hervorgebracht.

Zur Janusköpfigkeit des neunzehnten Jahrhunderts gehört die Gleichzeitigkeit von retrospektiver Aura und dem, was Karl Marx „Entfesselung der Produktivkräfte" nannte. Es bleibt unerhört spannend, wie sich da heterogene Komponenten wechselseitig steigern: Neuerungen des Klavierbaus führen zu unerhörten technisch-stilistischen Weiterungen (Beethovens Hammerklaviersonate); gleichzeitig drängt ein immer zahlreicheres, emanzipiertes Bürgertum in Oper und Konzert, man braucht größere Säle, tragfähigere Instrumente, die Vortragsweise wird plakativer, der Virtuose triumphiert, Paganinis Violin-Experimente, Liszts gewaltiger Klavierstil, die immer effektivere Entfaltung aller orche-

Franz Liszt im April 1886 in London.
Nach einer Zeichnung von Charles Renouard

stralen Ressourcen bei Berlioz, Wagner, Mahler und Strauss, die immer exzessiveren Dehnungen der tonalen Harmonik bis zur Explosion der Schönberg'schen Atonalität, auch die Emanzipation der Klangfarbe – Soziales, Technisches und Ästhetisches ergeben ein Kräftegeschiebe von äußerster Dynamik aller Parameter. Doch selbst der permanente Gestus der Grenzüberschreitung erweist sich als höchst ambivalent, führt er doch sowohl in die Kraftmeier-Allüre, die pompöse Gründerstil-Fassade, etwa bei Strauss, gelegentlich auch Mahler, als auch in die Auflösung traditioneller Strukturen. Gerade bei Schubert gibt es Lieder („Auflösung", „Die Stadt", „Der Zwerg"), in denen die Perspektiven verschwimmen, der Nebel-Spuk dominiert: der Zeitgenosse der Maler Turner oder Goya. Die rhythmischen Akzentverschiebungen, metrischen Irritationen bei Schumann – etwa in seiner Huldigung an E.T.A. Hoffmanns aberwitzigen Kapellmeister Kreisler – und Brahms tragen ähnlich zur Verunsicherung bei: Man traut dem schönen Schein nicht mehr so recht. Vollends die Wucherungen des Harmonischen zielen immer mehr auf das, was Schönberg „Emanzipation der Dissonanz" nennt. Schon bei Chopin finden sich Stellen, in denen der Bezug zur Grundtonart kaum mehr erkennbar ist, immer komplexere Akkorde sich häufen.

Die Ablösung vom Gewohnten, die Erschließung fremder Sphären, all das, was als „Zukunftsmusik" gebenedeit wie verteufelt wurde, hatte seine Gegenbewegung, den Historismus. So wie die Romantiker vom Mittelalter träumten, so suchten manche Musiker ihr Heil bei den Meistern der Vergangenheit. Aber so sehr Mendelssohns Engagement für Bach eine gar nicht zu überschätzende Leistung war, seine Orientierung an Mozart, Haydn und Beethoven Grundlage einer seriösen deutschen Musikkultur wurde – Schumann und Brahms eiferten ihm darin nach –, so sehr hielt damit auch die Nekrophilie Einzug in den Musikbetrieb. Schon

Goethes „Faust", wie ihn das 19. Jahrhundert liebte: Das Gartenquartett, gezeichnet von Cornelius

Berlioz spottete über den Leipziger Gewandhauskapellmeister und Konservatoriumsgründer: „Nur liebt er mir zu sehr die Toten." Ab der Mitte des Jahrhunderts spaltet sich die vor allem deutsche Musikwelt: einmal in die auf Leipzig fixierten Klassizisten und die um Bayreuth schwärmenden „Neudeutschen". Die verletzende Schärfe der Richtungskämpfe (Hanslicks Verdikte gegen Wagner und Bruckner, Hugo Wolfs Schmähung von Brahms' Vierter) ist heute kaum mehr nachvollziehbar. Arnold Schönberg hat auf die Frage, ob er Brahmsianer oder Wagnerianer sei, wienerisch-lakonisch geantwortet: Er sei „Selberaner". Hinzu kam die Trennung in Alt und Neu: Mochten die Komponisten noch so packende Werke schreiben, in den Konzerten dominierte zunehmend die Musik der Vergangenheit, bis hin zum Interpretations-Fetischismus.

Wand-Schrift: Axel Mantheys Bühnenbild zu Parsifal, Frankfurt 1982

Der Überschwang des kompositorischen Aufbruchs ins Neuland ergab auch eine Gegentendenz: So mächtig die Musik rauschte, so exzessiv sich die Geschwindigkeitsleistungen im Virtuosen-Zirkus steigerten, so deutlich erkennt man heute noch ein ganz anderes Phänomen: die Entdeckung der Langsamkeit oder das Verschwinden der Schnelligkeit. Galt für die Kopfsätze Haydns, Mozarts und Beethovens in der Regel der Allegro-Charakter, das vitale Anspringen, rasche Raumgewinnen, in kurzer Zeit vielfältige Charaktere Bilden, so fallen schon beim späten mittleren Beethoven lyrisch-epische Züge auf, und die wirklich rapiden Kopfsätze werden schon bei Schubert seltener. Man muß kein Verfechter von Celibidaches Zeitlupen-Ideal sein, konstatiert man, daß Bruckners Ecksätze nur noch bedingt als „schnell" anzusehen sind. Nicht minder sorgt die permanente Progression beim späten Wagner der „Götterdämmerung" und des „Parsifal" dafür, daß aus dieser Musik der rasche Tempo-Impuls quasi herausgenommen wird, ein virtuelles Einheits-Andante entsteht: Wo alles Übergang und Verbindung ist, verliert die lineare Dynamik an Signifikanz. Man kann dies als Verlust deuten, aber auch als Gewinn an frei flutender Phantasie-Strömung. „Vers une musique informelle" heißt ein avancierter Essay Adornos, der die Ästhetik der Grenzauflösung in der Romantik vorgeprägt sah. Retrospektiv war die Dramaturgie Wagners, dessen Helden zumal nicht selten im Wartezustand sind, der „Erlösung" harren; und im „Ring" wie „Parsifal" wird mehrfach, spiralenartig-echternachisch das Vorgefallene resümiert: Alle Gegenwart beruht auf stets neu zu dechiffrierender Vergangenheit. Die geifernden Attacken der Nazis gegen Thomas Mann waren nicht grundlos: Hatte er doch im Allerheiligsten deutscher Mythologie, Wagners „Ring" und „Parsifal", entschieden triftig Erzählinhalte wie -strukturen ausgemacht, die durchaus Einsichten der Freud'schen

Psychoanlayse vorwegnahmen. Man kann dies aber auch umgekehrt sehen.

Selbst der Pionier Freud war Kind des neunzehnten Jahrhunderts, und die psychoanalytische Methode beruhte auf sprachbezogener Anamnese: der Schacht in die Vergangenheit, also ebenfalls immer noch ein romantisches Motiv. Und hat nicht selbst ein so explizit modernes Medium wie der Film ein bewahrendes Moment: Die Fülle der aktuellen Erscheinungen, des darstellerischen Spiels, der Aktionen, der Umgebung und des Lichts sollte festgehalten werden. Nicht zufällig sprach Siegfried Kracauer von der „Errettung der physischen Wirklichkeit". Das „Gesamtkunstwerk" Kino ist Fortsetzung romantischer Utopie, nicht zuletzt in den irrationalen Massen-Mobilisierungsmöglichkeiten.

Wann also ist das neunzehnte Jahrhundert zu Ende gegangen? 1900 gewiß nicht, eher schon 1914, 1917, 1918. Oder doch erst 1948 mit Richard Strauss' „Vier letzten Liedern", dem Eichendorff-Abgesang „Im Abendrot". Die Parallele kommt aus einer unerwarteten Ecke. Hatte nicht Brecht der „Dreigroschenoper" die Provokation mitgegeben: „Glotzt nicht so romantisch!" Als Hanns Eisler 1954 der Kragen platzte und er seinen Lehrer Schönberg gegen die muckerhaften SED-Anpöbelungen verteidigte, fand er die bewegende Formel: „Verfall und Niedergang des Bürgertums: gewiß. Aber welch eine Abendröte!" Eine ganz andere Hypothese sei gewagt: Erst wenn sich niemand mehr dafür interessiert, welche Zukunft Bayreuth hat, dann neigt sich das neunzehnte Jahrhundert endgültig seinem Ende zu.

Die Autoren

FRANZISKA AUGSTEIN, geb. 1964, ist Feuilletonredakteurin der Frankfurter Allgemeinen Zeitung.

ALAIN CORBIN, geb. 1936, ist Professor für Neuere Geschichte an der Sorbonne.

STEFAN-LUDWIG HOFFMANN, geb. 1967, ist z. Zt. Gastwissenschaftler am Zentrum für Vergleichende Geschichte Europas der Freien Universität Berlin.

MICHAEL JEISMANN, geb. 1958, ist Feuilletonredakteur der Frankfurter Allgemeinen Zeitung.

JÜRGEN KAUBE, geb. 1962, ist Feuilletonredakteur der Frankfurter Allgemeinen Zeitung.

GERHARD R. KOCH, geb. 1939, ist Musikredakteur bei der Frankfurter Allgemeinen Zeitung.

ALBRECHT KUNKEL, geb. 1938, langjähriger Mitarbeiter des Wissenschaftsressorts des „Spiegels“ und von 1983–1998 Chefredakteur von „Spektrum der Wissenschaft“.

JOSEF MOOSER, geb. 1946, ist Professor für Allgemeine Geschichte des 20. Jahrhunderts an der Universität Basel.

FRIEDRICH NIEWÖHNER, geb. 1941, ist Professor für Philosophie an der Freien Universität Berlin.

CHRISTIAN PFISTER, geb. 1944, ist Professor für Wirtschafts-, Sozial- und Umweltgeschichte an der Universität Bern.

EBERHARD RATHGEB, geb. 1959, ist Redakteur im Ressort Literatur bei der Frankfurter Allgemeinen Zeitung.

MARCEL REICH-RANICKI, geb. 1920, von 1960–1973 Literaturkritiker und Kolumnist bei „Die Zeit“ und von 1973–1988 Leiter des Literaturteil bei der Frankfurter Allgemeinen Zeitung.

ANNELORE RIEKE-MÜLLER, geb. 1952, ist Historikerin, Wissenschaftshistorikerin und Geographin und in verschiedenen Projekten zur Kultur- und Wissenschaftsgeschichte im 18. und 19. Jahrhundert tätig.

THOMAS ROSENLÖCHER, geb. 1947, ist Schriftsteller.

Bildquellennachweis

Berlin, Archiv für Kunst und Geschichte *S. 20, 33, 42, 46*
Bremen, Kunsthalle *S. 74*
Frankfurt am Main, FAZ-Archiv *S. 63*
Frankfurt am Main, Mara Eggert *S. 90*
Neumeister, Wucke *S. 89*
Sammlung Ernst Burger *S. 87*